MY TAILOR IS RICH BUT MY FRANÇAIS IS POOR

ISBN : 978-2-7540-5828-5

Dépôt légal : janvier 2014
Imprimé en France
par CPI Firmin Didot (121192)

Direction éditoriale : Marie-Anne Jost-Kotik
Édition : Laury-Anne Frut
Correction : Émeline Guibert
Mise en page : Catherine Kédémos
Couverture : Atelier Didier Thimonnier

© Éditions First, un département d'Édi8, 2014.
12, avenue d'Italie
75013 Paris
Tél : 01 44 16 09 00
Fax : 01 44 16 09 01
Courriel : firstinfo@efirst.com
Internet : www.editionsfirst.fr

ALAIN SCHIFRES

MY TAILOR IS RICH BUT MY FRANÇAIS IS POOR

Le bas-franglais contemporain,
illustré de nombreux exemples
et augmenté d'exercices

FIRST
Editions

Du même auteur

Entretiens avec Arrabal, éd. Pierre Belfond, 1969.

Ceux qui savent de quoi je parle comprendront ce que je veux dire, chroniques, éd. Robert Laffont/Jean-Jacques Pauvert, 1986.

Les Yeux ronds, roman, éd. Robert Laffont/Jean-Jacques Pauvert, 1986.

Les Parisiens, essai, éd. J.-C. Lattès, 1991.

Les Hexagons, essai, éd. Robert Laffont, 1994.

Le Cousin, roman, éd. J.-C. Lattès, 1997.

Le Nouveau Dictionnaire des idées reçues, éd. J.-C. Lattès, 1998.

La Chute des corps, roman, éd. Gallimard, 2003.

Dictionnaire amoureux des menus plaisirs, essai, éd. Plon, 2005.

Inventaire curieux des choses de la France, essai, éd. Plon, 2008.

Dictionnaire amoureux du bonheur, essai, éd. Plon, 2011.

Celui-là est pour Fanfan et les kids

« *Quand la langue en usage général n'est plus que du* globish, *en l'occurrence du* global english, *et qu'il n'y a plus ni invention ni goût ni jugement, il n'y a tout simplement plus de langue.* »

Barbara Cassin, *La Nostalgie*, Autrement, 2013.

AVERTISSEMENT

Le franglais est montré dans ce petit livre à l'état sauvage, tel qu'au moment de sa capture. C'est-à-dire sans guillemets, sans italiques, ni rien qui le signale et, bien sûr, non traduit.

Ainsi placé dans les conditions de lecture habituelles des usagers de la presse magazine, on se rendra mieux compte de l'étendue du désastre.

Tous nos exemples, souvent extraits des magazines et journaux féminins (années 2012 à 2014), sont authentiques. Les références, gommées par souci de légèreté, sont gardées en lieu sûr, et consultables par les curieux.

Table des matières

IMMERSION

ADDICT
ARMY
ARTY
BOOKING
DATE
EMBEDDED
G
BOOKER
CASUAL
EMPOWER
BACKLASH
ENJOY
ESCORT
FIRST LA
B
CASHMERE
SHOPPER FAIL FAKE
CIALITE
DIET
FEEDBACK
FAST DATING
BREAK B
FALL WINTER
BREAK B
COLL
DANCE FLOOR
FASHION
FRONT ROW
FELLGOOD BOOK
CONFERENCE
STER INSIDER IT KID LADYLIKI
BIKER
DEBRIEF
E LIKE LIPSTICK
SOFT PORN
BINGE DRINKING
CALL
BLOCKBUSTER
COMING OUT
BUZZ
SHOW
N'T/DO
DIGITAL
COME BACK
CHALLENGE
SONG WRITER SPANISH BOOB SP
LIST LIVE LOOSE LOSE LOUNGE LOW BOO
EARLY

HEADBAND   HEALTHY   HIT
HOME   NETWORK METOO CARE CLASS
HUG HYPE COOKBOOK DOWNTOWN DUB E
FRIENDLY GREEN WASHING
BUSINESS

URE/PLAYER   RAW   FOOD
REVIVAL ROADIE ROLL
ED CARPET   CASTING
NNING
COLLECTOR

UPGRADE VEGGIE VINTAGE WAG WALLPAPER WARROOM WARRIOR
FITNESS
HAPPY
NOTE
K
IE FLAGSHIP BEFORE LY FOODING FOLLOWER FRENCH TOUCH
FUCKABLE
BEST
ENDLY GLITTER GOSSIP GROOMING GUITAR HERO GUN HAIR
NTING HANDBAG HASHTAG
BACKSTAGE BACK YARD BAD BOY BAN BANKABLE BASHING BATTLE
MAKE UP MAKING U
CESS PROFESSIONNAL SELF ESTEEM
MATCH MODEL MUM
TRAVELLER   OVERBOOKING OVERD
SHORT LIST
HOT LINE
SERIAL LOVER
PLA
PRIN

M HEADBAND

DATA SPORT) WEAR WEI
ET BOOSTER BIG DATA SWAG TAN TALK TARGET
WELLNESS W
TATTOO TEEN BLEACH THANK

RING BOYISH TIMING WILD WORKING G
AIR GUITAR

TATED PACKAGE PATCH
AL TRAINER PHOTO CALL PITCH ALL OVER
NEWSLETTI

DERSHIP LIFE LIFE

TRENDSETTER TRENDY TRIP TROTTER T
TWEETO

SHOPPER SLIDE SLIPPER
SMOOTHY SNIPER
G SPIN DOCTOR SPIRIT SPOT

CONSULTING
COST MA MAINSTREAM
CORPORATE STANDING
CHECK LIST COWORKING CROPPED
CROWDFUNDING OVATION
SPORTY STAND UP

P COAT TOTAL LOOK TOUR STEP BY STEP STORY TELL
AIL TRAINER TRASH

NETWORKER NOTE BOOK OLD
OL ON LINE SAFE SEQUEL SEX TO
SEXINESS SINGLE SINGLET

HATER KEY-
OFF MASTER SHINY SHO
RSIZE PASS
TELLING SUNNY SWAG TAKE-AWAY TRENDY T
OAD MOVIE TWITT
STREAMING STREET ART STREET STYLE S
TRIP SUNKISSED SURVIVOR TRAVEL BOOK

CH MEET UP MIX'N
SHARE STATEMENT STAND BY
RT OUTDOOR OUTING COST KILL

D OVERSIZED
CHILDFREE CHILLER CLASH CLASSY
CLUSH COACHING CODE
PLANNER PODCAST

E PREPPY PREQUEL CLASS ACTION OPEN SPA
S

PROLOGUE

QUE L'AUTEUR DE
PARLEZ-VOUS FRANGLAIS
N'EST PAS TRÈS ROCK'N'ROLL

Les langues vivent sous le toit de ceux qui les parlent, mais sont difficiles à garder comme des oiseaux sans cage. Elles traînent avec des brêles et ne se méfient jamais assez des messieurs aux bonbons plein les poches. Le français de l'après-guerre passa son temps, comme au bordel, chez les Américains. Puis Étiemble vint. Sévère comme un inspecteur de l'Instruction publique et bretteur comme un Gascon, il dénonça le « sabir atlantique », le « nouveau babélien ». *Parlez-vous franglais ?* (Gallimard, 1964, nombreuses éditions) est un livre exaspéré qui a fait date, mais en ce sens également qu'il est daté. L'américanisation du français est aux yeux d'Étiemble un aspect de la guerre froide. Il faut le défendre comme on prenait le maquis. Les collabos sont maintenant atlantistes : ils cèdent sur la langue comme ils cédaient sur tout sous Vichy. La France est un protectorat des yankis et, derrière l'invasion de mots comme « week-end » ou « strip-tease », sans parler de celle du Coca-Cola, des hamburgers et des comics, il y a la main des trusts. Si les Américains nous ont imposé le mot design, écrit Étiemble, c'est « pour tuer exprès notre esthétique industrielle et, ce faisant, une part de notre industrie ». Rebelle par tempérament, non-conformiste qu'on dirait de métier, érudit, progressiste, comparatiste, polyglotte, l'auteur du *Mythe de Rimbaud* est également d'une misogynie d'époque, employant des mots comme « donzelles » et « zozotes », s'en prenant aux Américaines, « frigides, obsédées, puritaines, dominatrices », ou même à l'accent de « Mme Dalida ». Toute langue passe par les femmes, nous dit-il. D'où qu'il en veuille à ce point « au plus franglaisant » des magazines : *Elle.*

Le malheureux, s'il avait vu la suite.

Comme souvent les universitaires, et au contraire des portes, le professeur Étiemble est ouvert et fermé à la fois. Il veut bien des emprunts à l'anglais, mais réclame que notre langue soit robuste, vivante, c'est-à-dire un boa gourmand capable de manger, digérer, métaboliser, bref, assimiler tous ces corps étrangers. Au lieu qu'ils tombent comme des aérolithes dans un jardin français, ne cédant rien de leurs origines – la graphie, l'accent même – et avec cela apportent des maladies (les mœurs américaines). On reconnaît, transposés, nos débats plus ou moins blets sur l'identité nationale.

Or sait-on jamais avec les langues ? « Computer » n'a pas pris, nous dira le béat, ni « deterrent » ou « colummist », et qui parle d'un « buvez vin », sur le modèle d'un « buvez Coca-Cola », comme le redoutait le Professeur ? Pas plus que d'une « baby balance » au lieu d'un « pèse-bébé ». Et difficile aujourd'hui de se passer de « baby-sitter ». Par ailleurs, est-il question aujourd'hui de « collège girl » ?

Oui, mais nous avons « preppy », répondra le ronchon. Puis les exemples que vous citez sont toujours les mêmes, une poignée, parmi les 3 à 5 000 vocables américains que comptait déjà le franglais dans les années 1970 (seventies). À quoi s'ajoutent ce que j'appellerais (continue le bougon) les mots de la tribu. La France compte de plus en plus de tribus. Ce ne sont plus les Arvernes ou les Sénones, mais les geeks, les skaters, les bikers. Sans parler des djeunes et des fashionistas. Chacun vénère ses mots d'Amérique comme autant de fétiches. Et pourquoi, par exemple, si on va par là, « dance floor » plutôt que « parquet de danse » ?

Parce que l'un glisse et l'autre craque (rétorque le béat). Hé, attendez (poursuit-il), on ne va pas se mettre à traduire tout le foutu vocabulaire de la street dance, du skateboard ou je ne sais quoi.

– Moi aussi, les bras m'en tombent, convient le ronchon.

Le béat – Vous imaginez ! Boying, popping, locking, skank, moshing, twirling !

Le ronchon – Il n'est pas question de cela, mais de la langue la plus courante. Celle qu'on a au robinet. Elle tourne au dialecte, au pidgin, au créole, à la V.O. sans sous-titres. Pour quelle raison (s'emporte-t-il) la propagande commerciale s'affiche-t-elle en anglais ? La réponse est : nib. Aucune. Il n'y a aucune putain de raison, si ce n'est la bassesse des publicitaires, leur veulerie, leur vanité. Et pourquoi la presse féminine est-elle incapable de tenir sans respirer plus de trois lignes en français ? *Elle, Madame Figaro,* pire encore tous ces mensuels à l'usage des post-adolescentes pour qui le monde se divise en mecs et en ex ?

C'est que la mode est à la mode, mais, sous le nom de fashion, entichée d'Amérique. La mode est accessoirisée d'objets, de rituels et d'usages, la plupart new-yorkais, qu'on se refuse, pour faire genre, à décrire en français. La mode est pipolisée et les célébrités qui la portent, stipendiées sous le nom d'égéries par des marques, désignent à des médias eux-mêmes acquis à des communicants quel sera cette saison le it bag. (Étrange fixation de l'époque sur les sacs.) Tout cela se propage à une vitesse considérable, les femmes vivant notoirement parmi nous (j'en rencontre tous les jours). À l'arrivée, c'est un désastre, à la fois pour le français, chère vieille chose, et pour la mode elle-même, ce que d'une certaine façon nous avons de plus précieux (avec une bonne santé).

Méfions-nous, sur l'autre bord, du puriste. Un puriste, c'est quelqu'un qui veut fixer la langue, à la façon dont nos pères, n'ayant aucune confiance dans leurs bas, portaient des fixe-chaussettes (on ignore le nom du premier qui s'aperçut qu'elles tenaient seules).

Étiemble se voit le contraire d'un puriste, mais c'est un universitaire. À cause de quoi il aime les fiches, et c'est sans fin, les fiches. C'est comme les collections où il manque toujours un timbre, un bouchon de radiateur ou un éléphanteau. Avec son fusil à tirer dans les coins (débusquant non seulement les vocables, mais les tournures américaines – « changer pour » au lieu « d'échanger contre », les « derniers cent mètres » pour les « cent derniers mètres », tout un franglais invisible au commun), Étiemble en vient à s'enrager de mots tels que « cow-boy », « pull-over » ou « fair-play ». Plus étrange : à vouloir troquer le « barbare magazine » pour l'antique « magasin ».

On ne naît pas puriste. On le devient.

Ici, une parenthèse. Défenseurs de l'ancien dialecte, mes amis, je veux bien avec vous partager les lazzis, me faire traiter de ringard, chauvin, moisi, pétainiste, Québécois sans l'accent, par tous ces communicants, journalistes, commerciaux, internautes et crétins, lesquels jugent tellement sympa de changer leur langue pour une sorte de créole moche, mais pourquoi toujours vous en prendre à la « sous-culture américaine » ? M'a-t-on assez interdit de mâcher du chewing-gum. Ai-je assez volé de sous pour acheter ces « comics qui nourrissent et pourrissent "nos teen-agers" » (Étiemble). Ai-je assez souffert du règne ranci et sans partage de l'École de Paris en peinture. Mille exemples. Un pays doit-il tant la ramener qui a inventé Le Grenier de Montmartre et le Caveau de la République ? Sans parler du sous-pull, du sac à main pour homme et de la poubelle de table.

Étiemble est mort en mousquetaire. Ferraillant jusqu'au bout. Tantôt excédé, tantôt hors de lui. C'est peu dire qu'il a échoué. Le franglais fait rage. Il s'est installé chez l'habitant, il mange à sa table. Étiemble, par contraste, apparaît vétilleux. Se plaignant du succès d'à « petits prix », au lieu « d'à bas prix », sur le modèle de *at small prices*. Qu'aurait-il pensé du lowcost ? Aurait-il imaginé cette réclame pour une *carte prépayée à prix low cost* ?

Paix à tes os, Professeur.

OUVERTURE POUR VIOLON
ET CLARINETTE

Le jour que j'ai lu dans *Elle* que la rue des Rosiers est
« en retour de hype », je me suis demandé ce qu'aurait
dit mon grand-père.

— En retour de *quoi*, mon garçon ?

— Dans le coup, si tu veux.

— Oy, aurait dit mon grand-père — semblant douter
que la rue des Rosiers eût *jamais* été dans le coup.

Moi de lui expliquer ce qu'est la hype : la fine pointe
de la mode, celle-ci ayant elle-même laissé le pas à la
fashion, ce mot froissé, et à ses fashionistas qui, courant les spots, hantent les flagships et les concept stores
avant, tout le foutu fash'pack, de se ruer à la fashion
week et pousser des waows à la vue du front row où
sourit, énigmatique et frangée, la lèvre repulpée, l'éter-
nelle « toute puissante directrice » de *Vogue*, et, voletant
autour, côté red carpet ou backstage, toute la faune
des catwalks, la nuée des it girls, des trendsetters et des
gay friendly, les beautistas overstated du glam et celles,
casual, du street style ; tout cela likant, tweetant et

bourdonnant du fashion buzz, lequel annonce, écoute ça pépère, à l'heure que j'écris : le comeback de la sock.

La chaussette. Son retour.

Oy, aurait répété mon pépé (c'était un peu chez lui comme le Ugh chez les Indiens des Plaines). Venu avant 1914 d'on ne sait quelles Carpates, il se serait vu repartir de zéro : Mais *quelle* langue parles-tu, mon garçon ?

D'UNE LANGUE QUE PERSONNE NE PARLE

Au début est le bredouillis puis, je saute des étapes, vient le latin, haut et bas, d'où sort le roman, d'où émerge le français : l'ancien, le moyen, le classique, le moderne. Le franglais enfin.

Aujourd'hui, ce franglais dénoncé par Étiemble nous paraît franchouillard. Le franglais, c'est la baguette de pain mangée par les deux bouts en rentrant des commissions, comparé à l'espèce de pidgin qui s'écrit dans les magazines, surtout les « féminins », et se parle dans le poste et se propage en ville. On s'est dit d'abord : c'est pour de rire. C'est un argot de filles, une parlure de minots. On s'est dit : cela passera comme une lubie, une tocade, comme passeront la dernière boisson détox qui buzze, le nouveau spray qui blondit ou cette soudaine épidémie d'allergie au gluten. On s'est dit, en bref : c'est du deuxième degré.

Or non : c'est une deuxième langue.

Loin pourtant que les habitants de ce pays maîtrisent l'anglais, les pauvres bougres. S'ils parlent deux langues, c'est *en même temps*. Ils ne sont pas bilingues, mais bilinguaux. Les hipsters ont la langue fourchue, les it gens ont les mots qui s'emmêlent et, jusque chez les abonnés au gaz, on pratique un français mité d'anglais. Un français angloïde bien en deçà du franglais – appelons-le bas-franglais – et qui donne l'illusion d'être ici et ailleurs à la fois, d'y être autrement et d'y être pareil, dans un entre-deux transatlantique où chacun se sent plus jeune, plus libre et affûté, désormais qu'il a le choix entre partager son bureau et opter pour le coworking.

QU'IL N'EST PAS SI DIFFICILE D'ÉCRIRE EN DEUX LANGUES À LA FOIS

Ce qui est bien avec le français angloïde : il s'apprend en quatre jours. Son système est dans ses rudiments.

Premier jour. Je m'exerce, tous les quatre mots, à placer de l'anglais :
Vos meilleurs beach alliés.
22 idées pour enjoyer l'été.
Toutes leurs influences se mélangent, dans un esprit healthy.
Deuxième jour. Je m'y essaye tous les trois mots :
Une queen du style.
Le bon american way of mode.
Le rap s'échappe de la working class.
Troisième jour. Je m'enhardis à de l'anglais tous les deux mots :
My beautiful balcon.
Sporty silhouette.
On se rue sur les baskets fun, les sacs arty et les lunettes flash.
Quatrième jour. Deux mots sur trois :
Le best of des sites de shoes.
Le top des take-away.

Voire quatre sur cinq :
La low profile attitude de la first lady.
Midis clubbing, co-lunching : la pause déjeuner n'a jamais été aussi funky.
...

Cette quatrième journée d'étude est celle où vous courez à tout instant le risque de passer anglophone.

Premier symptôme, vous cherchez vos mots en français :
Je suis arrivé à mid term, comment dit-on déjà ? À mi-vie !

Deuxième symptôme, vous demandez aux gens de « voir » :
Elle est très girl next door, si tu vois ce que je veux dire.

Votre langue bifide s'en mouille de plaisir. Vous entrez dans un monde où la seule règle est de dire n'importe quoi qui ne sente pas le français, la vieille bique. On apprend à reconnaître, parmi les journalistes, une élève ayant accompli son cursus de quatre jours à ce qu'elle demande à un top (sorte de mannequin) quel est son rituel after shooting (il ne s'agit pas d'héroïne) ; à ce qu'elle tâte de la rime (choper la classe avec ces it glass) ou de la prose rythmée (legging, jogging et belle dentelle... la street girl la joue glam et fun) ; à ce qu'elle dit le plus grand bien d'un certain Pecheux (avec ce mascara bibrosse et bicolore, on s'approprie le geste backstage préféré du make up artist Tom Pecheux) ; se penche sur la question de l'accoutumance aux chaussons de sport (montante, vintage ou runner, quelle basket addict êtes-vous ?) ; résoud au passage l'énigme du polo biker (parce que le biker est trop teenager et le joueur de polo un peu coincé, la hype a inventé le polo biker) ; et connaît par intervalles un accès de pure démence (Inspiration néo-60's ? Check ! Lignes graphiques ? Check ! Mix chic ? Check ! Vous voilà parées pour le décollage fashion !).

QUE L'ORAL EST PLUS DÉLICAT

L'anglais a toujours procuré du prestige au journaliste. (Et même de la syntaxe. Écrire en anglais est un moyen reconnu d'éviter les fautes de français.) Ses lecteurs ont moins de chance. Les lecteurs sont des gens qui s'expriment surtout à l'oral. Ils ont souvent fait français première langue. Les mots qui leur viennent, ils les ont appris à la maison, dans la rue, à l'école, au collège. Pour le dire en franglais, ce sont des french addicts, condamnés de naissance à ce parler si plat, où les chaussures ne sont pas des shoes et les chats s'appellent des chats.

La langue maternelle.

On est sevré moins facilement d'une langue maternelle que d'un lait. On a sa langue en bouche comme un sein tendre et plein. La langue maternelle, c'est la tétée quand tu veux et, pour le même prix, le téton qui se mordille. Tu peux la tourner, ta langue, sept fois dans ta bouche, elle patiente, frémissante et fidèle. Indulgente aussi. Toute prête à saliver d'un bon mot fût-il nul.

Dans ces conditions, comment se fait-il, ces braves bougres, qu'ils tolèrent sans broncher de lire à propos d'un bâton de rouge: « *Rien de plus easy living que cette génération de sticks* » ?

De telles exactions ?

Le sociologue de garde de votre magazine vous dira que c'est à cause des tablettes dès le plus jeune âge, des chansons françaises en anglais, des jeux (games), des jeunes qui imitent les djeunes qui imitent les gangs. La publicité, le cinéma, l'ordinateur, les sports de glisse. Sevrez le minot de bonne heure, *ôtez votre langue de sa bouche*, mettez-le au sabir maternisé, il se dégoûtera des flocons d'avoine et poussera un waow au lieu d'un ouah à la vue des cornflakes.

A-t-on idée, plutôt qu'à rollers, d'un merdeux à patins ? Pourquoi pas un adulte à trottinette ?

Exercice 1
À L'INTENTION DES 8-12 ANS

CLAUDINE À LA FASHION WEEK

A – Se repérer dans l'espace

Dispose les éléments suivants :
* le front row
* le red carpet
* le backstage

Place tes petits personnages :
* les tops
* les it girls
* les make up artists
* la directrice de *Vogue* américain
* les messieurs qui la shootent

B – Questions d'éveil

En quoi un backstage est-il différent
a) d'une backyard ?
b) d'un backroom ?
Connais-tu une salle de shoot dans ton quartier ?

CLAUDINE SHOPE

A – Évaluer les grandeurs

Range selon leur importance les éléments suivants :
* un pop store
* un pop up store on line
* un showroom
* un concept store
* une place to be
* un beauty spot
* un flagship
* un hot spot

Maintenant, dispose tes petits personnages :
* la it girl
* la street girl
* la girl next door
* l'escort girl

B – Questions d'éveil
En quoi une escort girl est-elle différente d'une street girl ?
À quoi es-tu personnellement addict ?
a) les it bags
b) les toys
c) les shoes
d) les slippers
e) les poppers

QUE LES INDIGÈNES SONT TOUCHANTS EN DÉPIT DE LEURS MŒURS

Observez un clan des bords de Seine quand arrive le bateau d'Amérique. Vous lisez dans les yeux bruns des natives (indigènes) à la fois la candeur et l'extase. Quelque chose également comme une mélancolie. (La mode est ce qui se démode, songent les bougres : tout est déjà dépassé.) N'empêche, quelle fièvre à déclouer les caisses, éventrer les ballots et se parer du dernier cri. (Ainsi les naturels, dans l'imagerie coloniale, arboraient-ils des hauts de forme, des boas, des gants de filoselle.)

Toute une bimbeloterie est d'abord envoyée rue Saint-Honoré, chez Colette, qui est le comptoir de la Compagnie des Indes occidentales. Puis la grande affaire est la « high tech », des concepts, des objets, des usages tellement inouïs qu'ils n'ont pas de nom dans les langues indigènes. Des choses comme cloud computing ou eye hacking. Le parti est pris aussitôt de garder l'anglo-américain. Cela va trop vite, vous comprenez. Tous les jours une invention, toutes les semaines un prodige. Les locaux en sont tourneboulés.

Avec cela, garder les mots d'Armorique, c'est comme au parvenu afficher le prix des choses. Une vanité. Dans notre petite jungle de bouseux candides, l'étiquette ajoute au prestige.

Pour le coup, c'est un vieux métier de Paris qui disparaît. Il n'y a plus de vitrier ni de rémouleur, et il n'y a plus de traducteur. On n'entend plus ce cri par les rues : « Ma traduuuuc ! Qu'elle est belle, qu'elle est fidèle ! » (Les derniers traducteurs n'ont d'autres ressources aujourd'hui que de vivre des secours de l'État. Les voici terminologues. Les mots de la high tech leur arrivent par centaines. Submergés par l'intraduisible, les malheureux font de l'abattage sous le ricanement des internautes. (Voir plus loin.)

Ainsi s'est créée une dépendance (addiction) à l'anglais. Ainsi s'est installé un anglais machinal et, le plus atterrant, c'est que, par un effet de contamination, les mots qui existent, les mots de notre vieux patois eux-mêmes, nous font honte. Qu'ont de mieux, je vous le demande, lipstick, make-up, red carpet ? Rien. L'aura. Le chatoiement de la pacotille. Le kitsch. C'est par le même phénomène qu'on ne sert plus de porc au restaurant, mais du cochon. Le porc fait cantine. Le rouge à lèvres fait province, et l'indigène en est au point qu'il fait semblant en public de ne pas comprendre la langue du pays. Celle de sa propre mère, entendez-vous. Celle de sa pauvre mamma (mum). C'est comme s'il retournait à l'école, un étrange établissement, digne de Lewis Carroll, où on lui apprend à désapprendre et à twister, comme disent les « féminins », son parler si banal et lui donner l'éclat du make-up que le maquillage n'a pas. L'école est dirigée par le Lapin de Mars et le Chapelier fou et on y enseigne avec gravité qu'un dance floor n'est pas un parquet de danse, mais qu'en revanche c'est le même truc :

Un headband n'est pas un bandeau, c'est juste un bandeau.

Healthy ne signifie pas sain, mais sain.

Data center ne se traduit pas par base de données, mais bien plutôt par base de données.

Ce n'est pas sous-sol que veut dire underground, mais sous-sol.

À ce propos, j'ai trouvé ce conseil dans *Elle*: « Dégringolez underground. » Il s'agissait du sous-sol d'une boutique. Ayant quitté le sous-sol crétin pour le chic underground, la rédactrice, j'imagine, a trouvé « descendre » tellement bébête à côté, tellement plat, qu'elle a préféré « dégringoler ».

Dégringoler underground.

My God.

QU'IL FAUT ÊTRE BON AVEC LES FEMMES, CES PAUVRES FILLES

Ce qu'il y a de bien avec l'égalité des sexes, c'est qu'un homme peut traiter une femme de la même façon qu'un homme traite un homme plus petit que soi.

Ce ne sont pas des bibelots, d'accord ?

Pourquoi m'est-il alors si difficile, les connasses des magazines qui s'enjoyent à détruire leur propre langue, de les qualifier du moindre nom d'oiseau, fût-ce de pauvres bécassous ?

Je les comprends, hélas !

À défaut d'arriver toujours à te lire, je te comprends, fille de *Elle*, de *Glamour* ou d'ailleurs. Tu es comme nous tous. Tu viens de Montargis. À t'exprimer dans l'ancien dialecte, à parler de nourriture saine au lieu de food healthy, tu crains de te trouver bête. Tu vis dans un monde loin de la vie, celui des créateurs, des people, des régimes gluten free, un monde dont les publicitaires sont à la fois les rois et les bouffons. Un univers enchanté où le moins qu'on puisse faire pour enjoyer la journée à venir est de jeter un œil à Facebook en sirotant un thé de Mariage Frères. La vraie vie, tu le sais pourtant, n'est pas transatlantique. Dans la vraie vie, on n'upgrade pas son look. On n'update pas sa penderie. Les rondes s'appellent des grosses. Mais tu tiens à faire le job, comme on dit depuis Bush. Tu trembles à l'idée que ta rédactrice en chef, laquelle vient d'Issoudun comme elles toutes, ne te lave la bouche au savon pour avoir écrit bien-être au lieu de wellness, ou, platement, qu'elle était « très belle », d'une photo hyperarty. Pis : qu'elle t'envoie en récré une pancarte au cou :

J'AI PARLÉ EN PATOIS

Garçon manqué ! Odile merde mon chou. C'est boyish qu'on dit. Tain, je parle français, non ?

Te punir pour un peu de vieux français qui t'échappe, te suspendre, te virer ? Il y a des lois, je te signale. Il y a des prud'hommes. Vois ton délégué. Et pour ce qui est de la hype, si tu as peur de finir désuète, crois-en un vieux Parisien, c'est-à-dire un ancien Orléanais : Paris est très province.

Exercice 2
POUR LES FILLES À PARTIR DE 15 ANS

PEGGY-LOU CHEZ LE COIFFEUR

A – Avoir une bonne compréhension des techniques et des procédés

Définis, de façon aussi concise que possible, ce qu'est :

* le wet look
* le néo wet look
* le wet and dry
* le bouclé loose
* le fuzzy motown
* le half-hawk
* le wavy
* le rose edgy
* le classy
* le no brush
* le shorty
* le beau bun
* le cran glamour
* le chignon puffy
* le cranté simply chic
* le pixie platine

B – Appliquer une habileté apprise

Entraîne-toi à :

* curler des longueurs
* twister en f tes mèches fines

Exerce-toi à réaliser sur toi-même un chignon puffy à partir d'un bouclé loose. (On pourra se faire aider par une camarade ou suivre les conseils easy du coiffeur Fred.)

C – Questions d'éveil

Penses-tu, comme Lauren Bastide dans *Elle*, qu'il faut « preppyser son tie and dye à outrance » ?

Que faut-il entendre par :
* on wetlooke juste sa frange
* mes sourcils restent wild
* un effet pop velvet sans fausse note
* une rehab cheveux post-shooting

Marque les différences entre ce texte anglais :
Glamorous words : red carpet, gala evenings and photo calls...
et sa traduction française :
Glamour toujours : red carpet, soirées, photo calls...
(Brochure bilingue de Franck Provost automne/hiver 2012-2013)

D – Thèmes
Traduis en vieux français les textes suivants extraits de la presse
féminine :
* Les nouvelles beauty lubies : sourire flash-pink, chignon
  boho, parfum sweet ou animal... le printemps, on aiguise son
  vanity flair.
* Ce salon-là a des allures de loft trendy, un autre a du papier
  print oldschool, un autre ressemble à l'appartement girly
  d'une copine.
* Ça ondule sur red carpet ! Fini les lissés baguette et wavy
  retro.

QUE PARIS EST TRÈS PROVINCE

La fierté de nos villageois quand l'une de ces stars qu'ils ont là-bas se pointe en promo au 20 heures. On sort la nappe, l'argenterie. On n'en revient pas d'avoir Brad Pitt en chair et en os (live) au salon.

Encore un peu de bretzels, Brad ?

Ce moment solennel, à la fin de l'entretien, où le présentateur prie Julia, Nicole, Woody ou Brad de bien vouloir, à défaut de signer le livre d'or ou d'essayer une de nos coiffes, s'exprimer en patois.

— Nous savons que vous parlez un peu notre langue et auriez-vous la gentillesse, allez, de dire quelques mots de français à tous ces gens, allez, qui vous aiment et vous regardent ?

— Bonjou, mes amis de Flance. Je vous baise.

Émus aux larmes, les gens. Tout prêts à pardonner l'accent et les fautes.

Le tabac ne vous gêne pas, Brad ? Si on se prenait une petite fine après le café ?

La bouteille de V.S.O.P. présentée sur un affût de canon.

Comment retenir deux jours de plus cette figure de légende qui sait dire « bonjou, ça va bien » et accepte de monter à pied les marches de Cannes ? On l'adoube. On l'intronise. Mérite, Légion d'honneur, Arts et Lettres, Amis de l'Andouillette, tout y passe. New York et Hollywood résonnent du bruit de nos médailles. Nous te faisons, Lady Gaga, Grande Croix.

En sens contraire, il y a ceux de chez nous qui font la fierté du proviseur et qu'on envoie là-bas, comme au Concours général, tenter leur chance aux Oscars. Ils s'y sont préparés de longue main, avec la ferveur des boursiers de campagne. Ils parlent un anglais parfait (avec un accent charmant). L'actrice parfaitement bilingue a remplacé ce classique : l'ambassadrice du goût français.

C'est un peu à ne pas dire, mais enfin notre rocker, Johnny, qui a fait du retour (come back) un genre musical, il a beau se démener et s'égosiller, *notre Johnny national*, sillonner en Harley le désert Mojave, bivouaquer au milieu des crotales, hurler *Que je t'aime* à Vegas, agoniser à Los Angeles jusqu'au pied des immeubles, les passants ne s'arrêtent pas pour lui, et à peine pour la caméra de l'envoyé du 20 heures.

— Beg your pardon ? *Who* ? Holiday ?

QUE L'AMERIQUE ELLE-MÊME EST VICINALE

Fille de *Elle,* de *Glamour* ou d'ailleurs (je renoue le fil), à qui l'anglo-américain fait l'effet du latin aux gens d'Église, et toi la plus hype des it girls de la Gaule chevelue, qui ne mange plus de sanglier qu'en version fooding, dites-vous bien que là-bas – mis de côté New York qui est la nouvelle Rome – c'est pis que chez Mamie où tictaque la comtoise. Ils ne viennent pas de Romorantin comme vous autres : ils n'ont jamais quitté Romorantin. Ils s'exercent depuis longtemps à ne rien comprendre à notre système de santé, s'imaginent que nous vivons au goulag, et lire des sous-titres leur donne des migraines épouvantables. C'est un métier là-bas d'être bouseux. Ils s'habillent comme des sacs, se nourrissent dans des seaux et je ne sais rien de plus sinistre que leur prétendu strip-tease.

QU'IL N'Y A QUE NEW YORK

Notre Amérique à nous : la Grosse Pomme. De là viennent les modes, donc les mots. Vibrer pour New York. Trembler pour elle. Au passage de l'ouragan catastrophique, c'est tous les soirs qu'on prenait de ses nouvelles. Les Haïtiens redoutaient le choléra, mais les New-Yorkais n'avaient plus de batterie. La télévision nous montrait leurs queues lamentables. Leningrad pendant le siège. La recharge héroïque.

C'est dans la Pomme que nos cinéastes vont tourner leurs comédies à la française. « Il y a une positive attitude incroyable », nous dit, dans *Elle,* Cédric Klapish. Ce qu'on peut traduire en gros par : attitude positive. Lola Rykiel nous apprend de son côté, dans *Madame Figaro,* qu'elle boit ici des green juices (sortes de jus de légumes) et que le « vrai style, à New York, est effortless ».

Rappelons au passage que ces jus verts, étant à la fois des superhydratants et des concentrés de micronutriments, sont le must have de la détox.

Être un Franco-Américain, pas mal, mais un Parigo-New-Yorkais : à mourir. Vous rappelez-vous l'histoire de ce Français qui avait lutiné à New York une femme de chambre ? Elle nous a permis de découvrir à la télévision ce personnage fascinant : *l'avocat aux barreaux de Paris et de New York.* Comme il était bilingue, comme il avait des ongles nets, un joli sourire, et cet air d'aller et venir sans jet lag. Il nous expliquait les coutumes absurdes qu'ils ont là-bas dans les tribunaux. Nous comprîmes enfin ce qui se passe dans nos séries préférées.

Les pèlerins de retour de la nouvelle Rome nous disent qu'il faut dormir au Soho Grande, manger son cheesecake chez Eileen's et boire au POT des bourbons infusés au bacon.

Tous les lundis, bien sûr, Woody Allen à la clarinette. Au Carlyle.

Le cheesecake est une sorte de gâteau au fromage.

Ah ! Ne pas oublier (*Madame Figaro*) « le soin red carpet des New-Yorkaises » chez David Colbert sur la Cinquième : microderm abrasious laser pour réduire les taches et booster le collagène. Ensuite, peeling aux acides de fruits. À tester chez Colette, précise l'article. Colette, à mi-chemin du Nouveau Monde et du Sentier, est le Vrai chic parisien de la Grosse Pomme. Les people new-yorkais viennent y faire l'emplette de choses new-yorkaises à rapporter là-bas. On s'y flatte d'un bar à eau, ce qui m'interdit d'en parler davantage.

Nous aspirons à New York les mots qui orneront le vieux patois. C'est d'ailleurs une ville où l'on respire. « New York vous remplit d'oxygène et d'adrénaline », s'exalte Leïla Beckti. La ville est semble-t-il composée d'une sorte de Saint-Germain-des-Prés, mais en hauteur, et d'un grand parc où, les garçons courant dans un sens, les filles dans l'autre, on n'en finit pas de se rencontrer. Les viols et les assassinats y sont à part égale avec les activités de plein air. New York est également une cité cyclable. (Tout pour le vélo se trouve dans Soho, chez Bicycle Habitat. David Beckam s'y est arrêté un jour pour regonfler un pneu.) En résumé, voilà bien une *légende urbaine* : toutes les villes changent, sauf New York qui a muté. C'était Chicago, c'est devenu the place to be, ce qu'on pourrait traduire par hot spot : une Amérique allant à nos estomacs, digestible, avec des Américains de chez nous. Allen qui provoque chez le Français des rires automatiques, Scorsese et ses recettes de boulettes en sauce au milieu des massacres. Notre Rome, donc, et aussi notre Mecque, si j'ose dire, depuis le 11 septembre. Ville lumière et ville sainte. Les homeless même, à l'oreille, cela sonne tellement mieux que nos sans-abri.

Il y a d'autres villes, m'assurent des esprits vétilleux. San Francisco, Boston, Philadelphie. Peut-être, mais c'est à New York que les célébrités vont faire leurs commissions. Selon le témoignage des « féminins », les people ne se lassent pas d'y shoper, et les paparazzi de les shooter quand ils shopent, et c'est à chaque fois, dans nos magazines, une éruption d'anglais. Il faut se rendre compte que, dans cette ville magique, les stars font toujours leurs courses à pied. Elles n'ont pas de voiture, de chauffeur ni de nurse (ni, semble-t-il, de souliers potables). Ni même de landau. New York est la capitale mondiale du porter de bébé à l'épaule par les stars. C'est incessamment que nous les voyons sortir

des boutiques – flagships ou concept stores – les bras
chargés de minots et de sacs. (Elles n'ont pas non plus
de cabas.)

Le porter de bébé se faisait au siècle dernier en
écharpe. Par le moyen d'un pashmina. La mode en a
passé. Qui oserait encore se montrer, Seigneur, avec un
pashmina ?

Exercice 3
À L'USAGE DES ADULTES AYANT FAIT FRANÇAIS PREMIÈRE LANGUE

LA MAGIE DE NOËL

Traduire en bas-franglais du vieux françois :
* Noël fastueux, Noël mondain, Noël simple et charmant, Noël intime. Noël pour les grands, Noël pour les petits.
* Pour les fêtes, pleins feux sur le collier de perles. Le plus classique et pourtant le plus jeune des bijoux.
* Sur un fond noir, les couleurs deviennent plus ardentes : les jaunes, les verts, les orangés, dégagent toute la chaleur et les harmonies sont pleines de bonne humeur.

(Extraits des « féminins » des années 1960. On pourra s'aider en mangeant des cœurs de palmier et portant des sous-pulls.)

ET SI ON ALLAIT AUX STATES ?

Traduire dans la langue de Molière, ce texte de Jeanne Deroo (*Elle*, 25 mai 2012) :
* « Des idées nail art pour se faire des ongles comme à Coachella, la sélection du beauty gourou de Barneys, les spots où se faire masser à L.A., les tutos coiffure pour se mettre dans la peau d'une Miami girl… tout ce qui buzze en ce moment outre-atlantique est sur www.refinery29.com. »

QUESTION SUBSIDIAIRE

* Situer SoPi par rapport à TreBiCa

INTERMÈDE POUR SAXO ET PERCUSSIONS (BALLADE)

L'Amérique, c'était nos Indes.
(Jean-Pierre Melville)

Je ne suis pas, faut-il le dire, anti-américain.

Si. Il faut. Sauf à passer pour un étroit, un moisi, un vichyssois aux yeux de ce qui pense à Paris, ou même pour un antisémite.

D'un autre côté, il y a cette habitude chez eux de boire la bière au goulot. Quand ils auront franchi toutes les étapes par lesquelles nous sommes passés – le crâne, la corne, le hanap –, et auront trouvé le verre, j'aurai plaisir à trinquer avec des gens fréquentables. J'ai connu vos parents, leur dirai-je. Vos grands-parents, plutôt. J'ai aimé ce qu'ils aimaient, les films de la Warner, Esther Williams et ses filles plantées dans l'eau à l'envers comme du riz repiqué, les billards avec un nombre de boules excessif, les billards électriques et leur *more fun to compete* ultra-libéral, les orchestres de swing, les bandes dessinées où les Nippons étaient des zéros en l'air et au sol des rascals, et les cacahuètes

Planter's tout épluchées. Cela m'a fait rêver, crier, flipper ; cela m'a fait danser, vibrer, grossir. L'apparition du ruban adhésif Scotch et son petit morceau de tartan en plastique, oui, cela même, vous n'imaginez pas ce que ce fut. Et *Look, Life, Esquire.* Et *Playboy.* À Orléans, dans l'après-guerre, nous étions 80 000 Français pour 10 000 Américains. Nous étions des indigènes à l'ombre de leurs casernes. Ils se tenaient parmi nous, proches et invisibles à la fois, comme les dieux de l'ancienne Rome. On ne voyait leurs femmes que sortant de chez Léon, le coiffeur élégant. (Elles conduisaient en bigoudis, au scandale des mères de famille.) Leurs adolescents ne se montraient qu'à la foire, où ils nous écœuraient en tirant le fusil à la hanche, et leurs filles ressemblaient à des femmes en réduction. Beaucoup, pourtant, étaient de sacrés ploucs, mais leurs tissus semblaient miraculeux, si légers, infroissables. Leurs automobiles faisaient deux fois celle du préfet. Tandis qu'ils défilaient aux « fêtes johanniques » sous des casques-miroirs, les filles du cours Pigier rêvèrent de les épouser, ce qu'elles firent, avant de se retrouver dans un désert. Parmi les cactus. En caravane climatisée.

D'emblée nous fûmes à leurs basques. Faites le V, nous criait la maîtresse, sur le chemin du « plein air », quand une jeep nous croisait. C'était une volée de tablettes de chewing-gum et de bonbons qui sentaient le dentiste. Nous étions leurs mendiants, leurs sciusciàs. Dix ans plus tard, ceux d'entre nous un peu doués firent le bœuf avec leurs jazzmen noirs et découvrirent le bop, les putes et la marijuana. Je renvoie au film d'Alain Corneau, *Le Nouveau Monde*. Nous fumions des mentholées, navrés de nos faux jeans en tissu bleu pétrole. Plus tard encore, avant que de Gaulle ne vire vos grands-parents, nous courions la campagne en 2CV, faisant la chasse au traficoteur, cet archétype du film de guerre américain. Il se tenait sur le talus, les bras chargés de cartouches de cigarettes, de tee-shirts, de 33 tours frais pressés. Je ne suis pas anti-américain.

*

Pendant ce temps, oubliez-vous de me demander, que faisait ma grand-mère ?

Elle lisait les journaux.

Ma grand-mère était papivore. Elle lisait *Elle*, *Noir et Blanc*, *Marie-Claire*, *Marius*, *Le Hérisson*. Sa journée faite, ma mère la rejoignait et elles lisaient *Modes et Travaux*, *Détective*, *Paris-Match*, *Bonne Soirée* en fumant des Week-end. Elles se plongeaient ensuite dans *Confidences*, *Caliban*, *Points-de-Vue Images du Monde*. Le gratin de la presse populaire d'expression française. J'ai appris le dessin dans *Le Hérisson* et les rêves des femmes dans *Elle*. *Elle*, je connais. Je suis l'enfant de *Elle* et du G.I. Je me souviens que le journal s'adressait à une population francophone et que les top-models s'y appelaient des mannequins vedettes. Celles-ci ne fonçaient pas sur vous, osseuses et dures, comme des locomotives, mais pivotaient, façon Degas, une main sur la hanche et les pieds en équerre. Je les surprenais à l'atelier, épinglées par Jacques Fath ou par Schiaparelli. Je les examinais sur toutes les coutures et tous les empiècements. Elles ressemblaient à des hôtesses de l'air clouées au sol et se faisaient des masques au concombre.

Étiemble tiendrait bientôt *Elle* pour le « plus franglaisant » des journaux. Nous sommes maintenant dans les années 1970 (seventies) : « J'en sors, hagard, désespéré, prêt à donner ma démission de professeur. À quoi bon enseigner une langue, le français, que les futures mamans de nos babies, babys ou baby ne savent plus, abruties de sabir par le *Elle-club.* »

Observons cependant, quarante ans après, qu'il y a toujours des bébés dans *Elle*. Ce n'est que plus tard qu'ils se métamorphosent en kids puis, grandis, en teens. Ce qui laisse penser que le français a la vie dure. Prenez un *Elle* de l'an 2003, le 5 mai, vous y trouvez encore des expressions surannées :

« Trois coiffeurs (comprendre : hair artists) donnent leurs trucs. »

« Mode (sic) : où trouver les essentiels (re-sic) de l'été sur Internet. »

Ailleurs, il est même question de « film américain à gros budget » (forme archaïque pour blockbuster.)

Cela m'évoque ce moment crucial où le clerc décrit, je crois, par Umberto Eco dans *le Nom de la Rose*, ayant perdu son latin et ânonnant son dialecte, n'a plus de langue. À ceci près que c'est l'inverse : la langue de l'Empire l'emporte sur le patois de la République. Dans ce même numéro de *Elle* (5 mai 2003), je trouve d'ailleurs ceci :

LANGUE VIVANTE. PARLEZ-VOUS MARKETING ?

Suit l'explication de mots qui aujourd'hui traînent partout : branding, one-to-one, over-promising, déceptif, disruptif.

On voit par là qu'on peut compter sur le marketing pour saboter le français, mais aussi fournir à l'auteur une habile transition.

QUE LE PUBLICITAIRE QUI S'OBSTINE AU FRANÇAIS (ET NE POSSÈDE PAS DE ROLEX) AURA MANQUÉ SA VIE

J'ai connu des publicitaires. Au siècle dernier. Ils se souciaient beaucoup de madame Michu. Elle avait du bon sens pour dix et une passion pour les lessives. Qu'en penserait madame Michu ? Qu'en dirait madame Michu ? Oserait-elle un déodorant au parfum de cacao ? Se servirait-elle d'une pâte dentifrice de couleur verte ? Mille questions se posaient.

Ce n'est plus le cas, semble-t-il. (Madame Michu est pourtant dans l'annuaire. Rue Bartholdi. Dans le 15ᵉ arrondissement. J'imagine que si l'on continuait à vouloir lui demander tous les matins à son âge ce qui se passe quand Omo est là ou de se lever pour Danette, elle serait sur liste rouge.) Maintenant qu'il y a Internet, la publicité s'intéresse moins à monsieur et madame Toutlemonde qu'à chacun d'entre nous. L'Individu. L'Individu contemporain. L'Individu est le sel de la Terre. On ne peut plus le traiter comme le dernier des imbéciles. Peut-être est-il encore assez crétin pour se désigner comme cible à chacun de ses clics, mais enfin c'est quelqu'un qui se veut affûté. Créatif. Sympa. Il est à mon image, se dit le publicitaire. Il porte une Rolex. Il arrive de Guéret et rougit de son patois. Adressons-nous à lui en anglais et peu importe qu'il nous comprenne : il fera semblant, ce con.

Il y a aujourd'hui en France quatre sortes de réclames :

- Les publicités en anglais, qui flattent ;
- Les publicités en français, qui renseignent ;
- Les publicités mixtes, qui renseignent et qui flattent ;
- Les publicités pour la lingerie Aubade, les seules que tolère l'honnête homme.

Les slogans du premier genre sont innombrables. En voici page suivante un échantillon prélevé sur deux ans (2012-2013).

Le trait commun à ces maximes est qu'elles s'appliquent à tout comme à rien. Pareilles à des méduses, elles flottent au hasard. Elles chatoient. Peu importe désormais le savon, c'est le client qu'on fait mousser. De façon tantôt péremptoire, tantôt philosophique. Lui donnant des leçons de bonne vie.

Moi, Séguéla. Heureux si toi content.

Aux yeux du communicant, hélas, la langue de sa Michu de mère – je parle du français – n'est plus seulement celle de la plèbe, mais aussi des bureaux depuis qu'une loi Toubon (4 août 1994) l'oblige à traduire dans le patois local ses slogans magnifiques. Ah, comme il déteste ces règlements. Comme il hait ces ronds de cuir. Lui est du côté de la life, OK ? Comme il voudrait que ce fût un tapis – la page, l'affiche – et le pousser break the codes

ENCHANT YOUR LIFE

messy but chic

let your body drive

non stop you

the V lives like you

above and beyond

be brilliant

single but chic

make noise

how alive are you

live is about moments

be part of the legend

for successful living

NEVER HIDE

mix, match, play !

live young

be together

happy is the new chic

live for greatness

open your mind

be yourself

be creative

be iconic

live the moment

after all, no regrets

be on time

open your world

PLUMP UP THE VOLUME

dessous avec une balayette, ce français composé par ses soins en si petits caractères qu'à le chercher, on s'épuise et, le découvre-t-on, que c'est plus fort que soi, on éprouve de la honte[1].

Restent quelques réclames rédigées en français. En général, il s'agit de cosmétiques. C'est que l'on ne rit pas avec les soins. Tout est ici « testé scientifiquement » (et non essayé au hasard). On traite le consommateur en personne adulte, et qui a du bagage. Des connaissances dans le domaine de la cristallographie et des composés isomères ne sont pas superflues, et vous êtes tranquillisé d'apprendre, dans la langue de vos pères, que l'Oenobiol remodelant est une « formule au complexe Aminoslim : CLA, chrome et L.Anginine. » Le CLA, peu importe de quoi foutre il s'agit, ayant été « testé scientifiquement ».

Il en va du rédactionnel comme de la réclame. Est-il question de retrouver le pulpy (très important le pulpy), *Elle* vous enseigne avec gravité, dans le beau langage des médecins de Molière, que « le Chromo Complex de plantes antioxydantes bosse sur la détox des protéines oxydées ». Sommes-nous assez loin de ces papotages inconséquents (gossip) où l'on s'échange en franglais des beauty tips ! J'aime ce bosse. J'aime également ce rappel de la nécessité de la détox, dans une société qui

---

1. M. Elie Sic-Sic, communicant de son état, s'en plaint dans un hors-série du *Figaro* (Langue française, 2013) : « Le problème dans la publicité c'est que chaque mot étranger doit être traduit. On ne peut pas déroger à la loi. Pour les concepteurs, ce n'est pas agréable à utiliser. Le petit astérisque en bas de page ou affiche n'est pas très esthétique… » N'y aurait-il pas une solution au problème de M. Sic-Sic ? Écrire en français par exemple ?

n'a plus confiance, non seulement dans ses élites, mais dans son propre foie.

L'anglais cependant n'est pas loin. N'est-ce point la langue commune aux publications les plus savantes et aux échanges les plus frivoles ? Le français de laboratoire vous rassure, mais, s'agit-il d'éviter ce qu'on appelle dans *Elle* « ces beauty faux pas qui font d'une journée radieuse un black day », l'anglais de salon de beauté vous rattrape. Ainsi aimerez-vous qu'on vous parle d'« un soin "whitening" tradi, via une version high tech de vitamine C ». Et n'y a-t-il pas quelque chose d'hypnotique dans ces marques au nom métissé : la crème-gel the way alchimy Hervé Héron ; les intensify facial discs Colbert M. Mieux encore, ces produits de la marque Clinique :

Even Better clinical concentré Éclat anti-taches.

Even Better Eyes Soin Éclat correction cernes.

Ce phrasé, cette façon qu'a l'intitulé angloïde de venir mourir en français à nos pieds, n'est-ce pas une métaphore de l'état où nous sommes ?

Exercice 4

Que faut-il au juste entendre par :

* une it green girl
* une green cosmeto
* une sporty silhouette
* une vie saine et green
* une adresse healthy
* changer sa routine wellness
* une poudre à smoothies qui rend healthy
* un shoot de baobab, le nouveau drink sporty
* une astuce « fell good »
* plus confortable que le couch surfing, mais tout autant « insider » : dormir chez l'habitant
* opter pour une nail beauty écolo
* je goûte light avec un carré de chocolat séché au soleil
* le bubble tea est le néo-smoothy

Des projets pour l'été :

* Aller à la Villa Schweppes sous le soleil brûlant, en écoutant un mix de Vincent Vega.
* Une gym qui booste, des massages qui réenergisent, un blush healthy, une colo qui illumine.
* Un running dating pour jogger à plusieurs.
* Un liner slim, des fesses hot, une douche green, du push-up dans l'air, des boissons self-defense.
* Un blind bronzing.
* Un contour yeux fumé, une bouche rosée et des pommettes sunkissed.
* Une ambiance hippie, tenue échopark, rock trempé au folk des sixties.

QUE LE FRANÇAIS FAIT HONTE AUX FRANÇAIS

Un jour arriva, dans les années 1960, que le Français se vit environné de nains, de concierges et de vieillards, sans parler des dactylographes et des femmes de ménage. Ici, guidant un aveugle, un pédé. Là, un paralytique pensif poussé par un grand nègre – scène qui serait immortalisée plus tard au cinéma.

Le Français s'épongea le front et remit son chapeau. « Foutre, songea-t-il, partout on humilie, partout on outrage, alors même que la guerre d'Algérie est finie et que les femmes sautillent en bas Dim. Alors même que la nation prospère et qu'embellit le pays. »

Il redoubla aussitôt de politesse et devint euphémique. La personne serait désormais de petite taille ou d'un certain âge ou les deux. Il y aurait des assistantes de direction et des techniciennes de surface. Des non-voyants et des homosexuels. La personne à mobilité réduite et le Noir avec une majuscule achevèrent le tableau. La langue était plus longue, mais les cœurs plus légers.

Vinrent les années 1970 où l'on importa beaucoup d'américain. Notre père Noël lui-même quitta sa robe de chambre en laine des Pyrénées pour la tunique courte et seyante d'un Santa Claus plein d'allant. Le rock, la mode, le marketing : les mots arrivaient à ne savoir qu'en faire. Après quoi se déroulèrent les années 1980, une décennie où la morale, sans parler de la bêtise, connut, sous le nom d'éthique, un regain considérable. Noir, homosexuel, n'est-ce pas encore, se dit-on, de l'ordre du stigmate ? Au français radouci, on préféra l'anglais non traduit. Tout devint incompréhensible ou abstrait ou au moins exotique. Un homosexuel fut un gay et un Noir un Black. Ce qui à l'époque n'était pas une sinécure, beaucoup de Blacks se croyant, au contraire des Noirs, tenus de porter à l'épaule des radios de vingt kilos. C'est que les mots n'arrivent jamais seuls. Ils ont leur attirail, leur mode d'emploi, leurs produits dérivés. Ainsi « bobo », sorti en l'an 2000 d'un cerveau new-yorkais : c'est à cause de lui que tant de jeunes bourgeois parisiens, se réveillant bobos, furent obligés de se comporter comme tels, c'est-à-dire exactement comme d'habitude, mais désormais catalogués. Dix ans après, il y aurait des quartiers bobos, limitrophes à ceux des Blacks et des gays.

On voit par là que le français angloïde, ce n'est pas que du caprice, du snobisme, du suivisme. C'est aussi de la morale. Un peuple en proie à l'éthique et à l'écologie y voit le moyen de se tenir propre. L'anglo-américain blanchit cette langue souillée qu'est désormais le français aux yeux des bilinguaux. Le bas-franglais évoque par contraste un monde irréel et joyeux – tout ce qu'évoque le mot cool :

Une veste army n'est pas militaire.

Un sex toy n'est pas un godemiché. Et que dire d'un toy ?

Une lunch box n'est pas une gamelle.

Le vintage est une meilleure affaire que l'occasion. Le vintage ne se retape ni ne se ravaude : il est customisé.

Un Frenchie n'est pas un Français, mais ce qu'il y a de stylé en lui (la French touch).

Un job est autre chose qu'un métier. (George W. Bush ayant déclaré, du temps de la guerre d'Irak, que les boys avaient « fait le job », les Français à l'instant ont perdu leur boulot.)

Au contraire du voyou ou du mauvais garçon, le bad boy est désirable.

Un dîner veggie n'est pas un repas végétarien, avec son odeur de chou, ses graines abominables et ses convives pâles. Un dîner veggie, c'est healthy. Ce mot pneumatique étant lui-même préférable à ce pauvre « sain » qu'on ne saurait voir. « C'est bon, c'est healthy et ça change du riz ! » lis-je dans *Elle*. (Il s'agit de coquillettes.) Le sain : flasque et flétri. Le healthy au contraire : bombé, rutilant. Avec lui, on respire. Je vois d'ici la rédactrice. Aspirant son h. Expirant son y. Ce y si cher aux bilinguaux.

On a tout dit du français, mais jamais jusqu'à présent qu'il est plat. Je trouve abjecte cette idée d'un français étale. Une langue même pas morte : morne. Cafardeuse. D'un goût petit bourgeois. Linoleum et gazinière. Épaule façon gigot. Ce healthy au milieu du français me fait l'effet d'une vitrine de quincailler pendant les fêtes de Noël. Une guirlande parmi les râpes et les casseroles, et qui vous donne l'envie de mourir. C'est cela qui serre le cœur. Qu'on ne se laisse plus aller au français. Qu'on le voie ranci. Pareil à un peignoir mal fermé. À des chaussons portés en savate. Un relent de vieux ragout. Telle est, maintenant qu'elles sont bobo, la tragédie des classes moyennes. Elles ne veulent plus moyenner.

Exercice 5
DES VERSIONS POUR TOUS LES ÂGES

Je traduis de la langue d'oïl (2005) en bas-franglais (2013) les extraits suivants (*Elle*, Spécial 60 ans) :

* Les bonnes idées de cuisine, c'est un sujet dont on ne se lasse jamais ! Voici quelques suggestions pour la moderniser.
* Cet hiver sera féminin ou ne sera pas. Coupes appuyées, matières nobles et couleurs gaies enchantent la rue.
* Lorsqu'il s'agit de nos chères têtes blondes, pas question de lésiner sur le confort. Voici quelques nouveautés qui vont leur faciliter la vie.

On s'efforcera d'utiliser les mots *fooding, update, flashy, street wear, kids, easy.*

QUE NOUS NE SOMMES PAS ASSEZ BELGES

Qu'a-t-elle de mieux, Cécile de France, qu'être belle ?
Sa lèvre en haut, côté gauche. À peine un retroussis.
Une affaire de quelques millimètres. Un pli d'ironie.

L'ironie belge.

« S'il est une chose dont le Belge est pénétré, c'est de
son insignifiance, écrit Simon Leys. Cela, en revanche,
lui donne une incomparable liberté – un salubre irres-
pect, une tranquille impertinence. »[1]

Le Français, en face : plein de lui-même ou abattu,
mais à distance de soi. On ne plaisante pas avec le
Français. Rappelons que l'humour n'est qu'un vernis chez nous tout récent. Nous payons encore des
comiques pour être drôles à notre place. (Cela s'appelle des stand-ups en bas-franglais parce qu'on s'y tient
debout.) Fût-il au fond du trou, le Français se croit. Il
jabote comme un canard W.C. Il se dénigre avec arro-
gance et tire encore vanité d'être nul. (Moi-même,
écrivant cela, me trouve un peu ramenard.) Perdre sa
langue, où est le problème ? Allons-y à fond tant que

---

1. Simon Leys, *Le studio de l'inutilité*, Flammarion, 2012.

nous y sommes. Le Français veut toujours être le premier, même à rendre gorge. Il se voit alors moderne, averti. Adapté aux exigences d'un monde, comment dire, mon Dieu, mondialisé, dont ses parents, Seigneur, n'avaient pas idée.

Pour le contraste, le Français a inventé le franchouillard. Pour le contraste et la comparaison. Voyez comme je me hisse au-dessus de ma condition. Le Français se sent ouvert alors qu'il est béant. Le globish, le babélien, s'engouffre en lui comme le vent par une porte fendue. Une étrange torpeur le dérobe à ses ridicules.

Car enfin, « le maquillage, booster de self-estime », est-ce possible ?

C'est pareil « outre-Quiévrain », direz-vous (évoquant ces étendues à la fois surréelles et plates – le Belge est surréaliste comme le Mongol est cavalier – et qui s'étalent par-delà un fleuve de mots croisés). Mais voyez le « steack américain ». Ce qu'il y a de distancié, de moqueur, dans ce genre d'expression. Voyez Van Damme. Cette parlure fantasque qu'on appelle le « jean-claude ».

Le Français est sérieux avec gravité. Le sérieux du Français pèse le poids d'un kilo de plomb, comparé à celui du Belge d'expression française, toujours à se ficher du monde et se moquer de soi.

Exercice 6
POUR LES FASHIONISTAS

Je traduis en français classique :

* Ce top résille, on l'aime très baroudeur avec veste et baggy rayés, façon pretty lady en total look, ou version tribale cool, assorti d'un mini-sac en bandoulière, d'un col sage, ou carrément sexy, avec le regard smoky.
* La pulpy héroïne de notre « quoi de neuf beauté » nous dit tout sur ses beauty réflexes de super top.
* Rien de plus easy living que cette nouvelle génération de sticks à appliquer sans pinceau ni miroir.
* En bonne perfumista, je checke les deux dernières vidéos parfums qui font le buzz.
* Je prends une leçon de make-up vintage grâce aux step by step du livre joliment illustré de la maquilleuse anglaise Katie Reynolds.

J'explique :

* Même les plus preppy des jeunes femmes se l'étaient joué hipsters.
* Un rituel after shooting.
* Une pommette spicy.
* Un rouge fresh'n pretty.
* Un effet beach bab.
* Un beauty look pour un set d.j.

Je montre la différence entre mix & match et combo (les do et les don't) :

* Pourquoi faut-il éviter d'être cagole bling bling ou punk fluokids ?
* Un combi-short mimi, des paillettes funky et un denim sexy, est-ce souhaitable ?
* Et une découpe waouh ?

QUE LE QUOTIDIEN *LIBÉRATION* EST DE L'ESPÈCE DES CAS À PART

Longtemps, *Libération*, par ailleurs imprimé sur du papier-toilette, ne sut orthographier correctement des mots comme « illettrisme ». L'orthographe est meilleure, le papier reste pauvre. C'est un journal qu'on ne peut replier. Ouvert, il gonfle comme un beignet. À la façon de l'artichaut, il y en a plus à la fin qu'au départ. Bref, c'est impossible de détacher proprement une page de *Libération*, et j'aurai peu d'exemples à produire, manquant de coupures pour illustrer son cas : celui d'un organe issu du gauchisme, sérieux et complice à la fois, qui entend rester jeune, mais jouer avec les grands. L'exercice est difficile. « Mûrir ! Tout est là, dit Sainte-Beuve. On durcit par place, on pourrit par d'autres : on ne mûrit pas ! » *Libé* cède au globish, mais, dirait-on, par grumeaux. Au contraire de ce qui se passe dans nos « féminins », où l'anglais et le français ont fondu ensemble, les habituels *blockbusters*, *mainstream*, *bad guys* et *bankables* sont chez eux en italiques. Cela indique un certain détachement, ou peut-être un dandysme. C'est d'ailleurs à la page des portraits, qui demande un

79

ton, qu'on se laisse aller le plus volontiers au style transatlantique. Ah, les *préquels* et les *give back* ! Les *tribute* ! L'insoutenable *déceptif* !

Libération est, par ailleurs, le seul organe, à ma connaissance, qui publie du bayon. Pareil au záparo des Indiens de l'Équateur, le bayon est accessible à très peu de locuteurs. Exemple de bayon : « Soit *I Wanna Be Your Man* (scratch remix conseillé) et son super clip noir et blanc à 150 euros, en amorce piaffante smurf'n'blues. *Yeah, Yeah*, groove james-brownien et filmage psychédélico-psychanalytico-hitchcokien. *She Loves Me* – notre favori : pétarade surf aux breaks catatoniques. Le teasing EP. »[1]

---

1. 14 septembre 2012.

Exercice 7

POUR FILLES À PARTIR DE 15 ANS

LES SHOES[1]

Je traduis en vieux patois et classe par taille et par genre :

* les boots
* les peep toes
* les sleepers
* les stilettos
* les low boots
* les runnings
* les wedges
* les mid heels
* les chelsea boots
* les open toes
* les sneakers

J'essaie de comprendre et, cela fait, d'expliquer les phrases suivantes :

* La chaussure japonisante, c'est l'access qu'on adore.
* Une fashion victim accro aux kitten heals.
* Prêtes pour le glam western avec ces silver santiags.
* Un look fashion plus un scratch pour les enfiler easy.

Quelle est la différence entre :

* une boot working girl
* une boot american style
* une boot edgy chic

---

1. Les chaussures.

QUE LA LIFE EST TOO SHORT, MAIS QU'ELLE VAUT MIEUX QU'UNE VIE TROP COURTE

Des esprits parmi les plus élevés s'inquiètent, à propos du numérique, d'une « société à deux vitesses ». (Ils ont bien raison. Voyez l'état des fondus de la Toile comparé à celui des Français laissés sur le bord de la route. Comme ces derniers sont souriants, posés et réfléchis. Comme ils vont aux champignons.) Qui se soucie en revanche de l'écart qui se creuse entre bilinguaux et monolingues ?

Très peu de gens. Michel Serres, par exemple : « [...] je défendrai toute ma vie la langue française, parce que c'est devenu désormais la langue des faibles et des pauvres. »[1]

La France est un polder dont les digues ont rompu sous la poussée de l'anglais. Les Gaulois, qui sont dans la plaine selon l'usage antique, se découvrent par millions très au-dessous du niveau. Les plus entreprenants apprennent à nager. Ils vont de bains de langue en

---

1. Cité par Dominique Noguez, *La colonisation douce* (Arléa). C'était en 1992. Que dire vingt ans après ?

immersions. Les autres, les plus nombreux, ont une mentalité d'engloutis. Ils s'abandonnent. Ils s'envasent. Ils se couvrent de petits coquillages et deviennent exotiques dans leurs pays même. Cela fait songer aux cartes postales des anciennes colonies. Les bureaux de tabac non loin des cafés maures. Le receveur des Postes à côté du cadi. Deux cultures se touchent sans se comprendre ; l'indigène est le plus étranger.

Voyez les titres des séries et des films américains. Ils sont à ce point en anglais que je me suis surpris l'autre jour à prononcer *Passion* comme fashion, pour un film de Brian de Palma. Imaginez le pauvre hère qui fait la queue et se trouve dans le cas de demander une entrée pour *We have to talk about Kevin* (2011). C'est pour lui imprononçable. Sa honte n'a d'égale que celle qu'il éprouvait du temps qu'il n'y avait plus que du porno dans les salles.

— Deux places seniors pour *Les Enculées au pensionnat,* madame, je vous prie.

Pourquoi a-t-on renoncé à traduire les titres américains ?

1 – Ce serait trop difficile. Trouver l'équivalent de *We have to talk about Kevin* réclame d'avoir fait des études.

2 – Cela nous ramènerait aux heures sombres où les professionnels étaient à la peine. Aujourd'hui un distributeur de films est surtout un distributeur de billets. Il avait à cœur hier de trouver un bon titre en français et s'acquittait de cette tâche avec une finesse qui parfois laisse pantois :

■ *The Absent-Minded Professor* : *Monte là-d'ssus*
(Robert Stevenson, 1961).
■ *And Now for Something Completely Different* : *Pataquesse*
(Ian McNaughton, 1971).
■ *The Gay Deceivers* : *Le piège à pédales* (Bruce Kessler, 1969).
■ *Go tell the Spartans* : *Le Merdier* (Ted Post, 1978).
■ *Great guns* : *Quel pétard !* (Monty Banks, 1941).

On comprend à ces exemples que les distributeurs aient rendu les armes. Ils étaient idiots, maintenant ils sont bêtes. À quoi bon se creuser le chou ? Les gros films (blockbusters) sont des bandes-annonces pour les produits qui en dérivent et ressemblent à des jeux vidéo. Qui aurait l'idée de donner un nom français à un jeu vidéo ? Un joueur (gamer), sûrement pas. Et si on va par là, qui lit *La princesse de Clèves* ? Qui se soucie de poésie ?

Les Yeux Grands Fermés ou *Django déchaîné*, dites-vous, ce serait beau ?

Justement.

Et les séries. Il y a deux sortes de séries américaines à la télévision. Celles dont le titre original est si proche du français qu'on se demande pourquoi on le laisse en anglais : *The Queen* ; *The Tudors* (ce qui donnerait à peu près en français : *La Reine* ; *Les Tudors*) ; celles dont le titre en est si loin qu'on se pose la même question : *Twixt* ; *Breaking Bad*.

Mettons-nous dans la tête d'un programmateur. Pourquoi *Girls* au lieu de *Filles* ? Parce que ce n'est pas pareil, dirait-il. Des filles, vous en voyez tous les jours. (Il boirait une gorgée de thé.) L'anglais est exotique et familier à la fois. J'ajouterai : léger. Comme cette tasse qui vient de Chine.

Vous, d'insister, prenant un autre exemple :

— *Once upon a time* ?

— Bon Dieu, ça n'est pas traduisible, soutiendrait l'homme de l'art. Il s'agit d'un anglais de fées, comprenez-vous. *Once upon a time*, c'est *Il était une fois* à la puissance deux. C'est de l'anglais rêvé, translucide et charmant, comme ce beau céladon. (Sirotant, l'air pensif.) De même que nous fabriquons des tasses à la chinoise, nous faisons des séries dans le genre américain. Vous savez, avec un store toujours baissé, un gradé noir dans l'équipe, une blonde méchée qui vit seule et des plans de coupe sur Paris au son du tam-tam. Hé bien ! Les Américains sont quand même les meilleurs. Pour les séries américaines, veux-je dire. Le titre en anglais signifie qu'il faut se méfier des imitations. Qu'il y a une garantie d'origine comme pour cette tasse irréfutable.

Raisonnement spécieux, paresseux, cynique. (Et que vient faire cette histoire de tasse ?) Cependant, admettons. Que dire en revanche de ces émissions de divertissement (*Amazing Race* sur D8), de ces documentaires (*Global gâchis*, sur Canal +) ? A-t-on idée ? Cet anglais de fête foraine.

Global gâchis. A-t-on idée ? Vraiment.

Exercice 8
À PARTIR DE 15 ANS

THÈME

Je m'exerce à traduire du bas-franglais en vieux françois :

* Battle de danse, after sur péniche, clubbing au-delà du périphérique, les Parisiens réinventent la nuit.
* une ambiance lounge, chic et glam.
* un connecting toy.
* une it list.
* une play list.
* une check list.
* une shopping list.

ÉVEIL

Je classe dans l'ordre, selon leur intensité, et m'entraîne à exprimer, de préférence dans un lieu écarté, les sentiments suivants :

* waouw
* wow
* wouah
* woaf

J'essaie de représenter, en m'aidant de crayons de couleur :

* un insider embedded faisant son outing.
* un it boy de 19 ans conquérant la brit top la plus hot du moment.

QU'À COURIR APRÈS L'ANGLAIS, LE FRANÇAIS PERD LE SOUFFLE

Qu'a cette langue que la mienne n'a pas ?
Le Français s'interroge.

La vitesse.

Étrange paradoxe. N'avons-nous pas inventé la conversation, qui est une escrime ? Mais le français ne ferraille plus. Le français s'enroue. Il faut être instantané. Réactif. On n'affronte pas avec des imparfaits du subjonctif le présent perpétuel. Ce qu'on réclame : tonicité, sensation. Des mots-bruits. Kiss, smack, crunch, crisp, trash. « Des clashs d'imprimés, des battles de couleurs. » Une expression ramassée jusqu'au cri : « Une méga pointe feutre à effet waouh immédiat » (*Elle*).
L'anglais des magazines est en une ou deux syllabes. J'exagère. Mais c'est une langue brève et élastique, et, par contagion, même en français, nos magazines vont au court. Ils écrivent b.o. pour boucles d'oreille et parlent de « booker un A/R en TGV ». Parents anglaisés à l'os qui appelez encore vos enfants Kevin

ou Candice : passez aux sigles, aux logos. Nommez-les Bernard-Henri ou Nathalie-Kosciusko. Heureux qui s'épelle en trois lettres. Il deviendra une marque.

L'anglais est vif et, par comparaison, le français se renfrogne. Vous êtes-vous demandé pourquoi les Américains sur les photos sont hilares ? Ils disent « cheese » à l'objectif. Nous disons « fromage ». Voyez le résultat.

Enjoyez. Ayez du peps. Il n'est plus temps de s'étendre. Ah, rattraper l'anglais. Se porter à sa hauteur et lui faire des coucous. Les noms s'abrègent. Les syntagmes se ramassent. Court métrage, c'est encore long : dire « un court ».

L'accélération de la langue commence dans les années 1950 par le gros œuvre : se débarrasser des prépositions. Naît un français jointif. Une langue d'assemblage. Capital sympathie, pause-café, chèque vacances. Parfois la langue résiste. Assurance vie a pris, mais serment honneur, non. Il arrive aussi que tel petit monstre abréviatif échappe à son créateur et devienne un concept. L'idée-cadeau, par exemple, qui fourmille une fois l'an, qu'on reconnaît tout de suite à ce qu'elle n'est pas une *vraie* chose. (Ni, souvent, un cadeau.)

Ce n'était pas encore assez. Le français est devenu jointif que déjà l'anglais s'emboutit. Comment être aussi rapide qu'un crowdfunding ? Qu'un motel, cette trouvaille si poétique et sordide ? (On a beau faire, on se tue beaucoup moins dans nos hôtels à voiture séparée.)

Que le lecteur me permette ici d'ouvrir une parenthèse qui, loin d'être une digression, nous rattache au principal. Un jour de l'été 2012, parti en expédition dans un numéro de *Elle* où l'anglais fait rage, je tombe sur le trail.

Qu'est-ce que le trail ? (S'interroge le journal.)

Le trail, c'est le nouveau running. (Se répond-il.)

Un genre de green running. (Précise-t-il.)

Première observation : la presse franglaisante est toute prête à vous expliquer son anglais. Il vous suffit pour cela de connaître l'anglais.

Mais un green running qui ne serait pas green, poursuit-il (le journal) : *un running urbain.*

Deuxième observation : urbain est un mot magique, sublimé dans l'expression « légende urbaine ». (Je me suis souvent demandé ce qu'elle voulait dire, et s'il y avait encore des légendes à la campagne.)[1]

De nous expliquer ensuite (*Elle*) que le trail, ce genre donc de running, mais urbain, nécessite d'acquérir (de shoper) toutes sortes d'objets dans toutes sortes de boutiques (concept stores). Ce qui nous amène à une troisième observation : un mot anglais qui apparaît dans les magazines, c'est comme un film à gros budget (blockbuster) qui sort sur les écrans, il y a des produits dérivés.

Je ne m'étendrai pas sur la liste des accessoires nécessaires, selon *Elle*, à faire du trail en ville, pour m'arrêter à l'un d'eux : le skort. Qu'est-ce que le skort ? Un de ces

---

1. « Ce que je veux, c'est habiller des filles urbaines », déclare un créateur (*Elle*, 3 mai 2013).

mots emboutis dont l'anglo-américain a le génie, soit un composé (mix) de la jupe (skirt) et du short (short).

Quatrième observation : au secours, la jupe-culotte revient !

Elle n'est d'ailleurs pas la seule à être en retour de hype. Je ne sais quelle tablette, ai-je lu, va bientôt nous permettre de *projeter des diapos*.

Cinquième observation : help !

On voit par là que la marche au progrès nous condamne au retour du pire.

Fin de la parenthèse.

L'anglo-américain des magazines, disais-je, dépasse rarement les deux syllabes, et c'est vrai que slide glisse mieux que diapositive, ou même que diapo. Ajoutons qu'il se porte volontiers au y : Arty, Beauty, Busy, City, Classy, Funky, Girly, Healthy, Sexy, Sporty, Trendy. Ce qui autorise à des comparaisons, non seulement rythmées (deux syllabes) et rimées (le y), mais riches d'enseignement sur nous-mêmes, toujours à nous demander qui nous sommes :

Êtes-vous sporty ou arty ?

Êtes-vous sexy ou girly ?

Êtes-vous classy ou trendy ?

Tout ne va-t-il pas d'ailleurs, je m'interroge, finir en deux syllabes ? On est obligé de constater que la plupart des autos sont plus rapides que les automobiles, et les starters plus efficaces que ces vieux démarreurs. C'est hallucinant à quel train, poursuivi par l'anglais, le français raccourcit. (Quand il veut faire sérieux, en revanche, il rallonge : on n'a plus de position ni de problème, mais un positionnement et une problématique.) Voici un petit tableau de ce français en bref (sélection arrêtée à fin 2013) :

Agglo	Appli	Aspi	Asso	Canap	Celib
Choré	Collab	Colo[1]	Coloc	Circo	Créa
Coeff	Débrief[2]	Déj	Démo	Déter	Dispo
Exclu	Explo	Indé[3]	Mat	Négo	Perso
Phéno	Prog	Réa	Réhab	Réu	Tradi

Le bon côté de l'apocope, c'est que le français court est gentil : ce ne sont pas les fans qui posent des bombes. Plus inquiétant, l'érosion continue sous nos yeux. Une amie qui, naguère encore, se rendait en réunion de son assoce, va aujourd'hui en réu de son asso. (Je la vois souvent courir.) De même l'application, réduite à l'appli en 2012, n'est plus qu'une app en 2013. Et ces sex toys devenus toys ? Et le porno, porn ? Et toute cette presse de filles pour qui l'humanité se résume à deux syllabes, les mecs et les ex ? Que va-t-il se passer ensuite ? Le français fond. Le français s'évapore.

---

1. Colo green : classe verte.
2. Lu ceci : « on se fait de longs débriefs boulot allongées, demain ce sera grass' mat »
3. C'est très élégant d'être indé, surtout les cinéastes. Un mot à prononcer de temps en temps, comme « légende urbaine » (voir plus haut) et, peu importe de quoi il s'agit, « guitar hero ».

Exercice 9

Je rallume le réseau et je petit-déjeune devant mon ordi. Je me jette sur les hot topics, à savoir les # hashtags les plus suivis, pour voir les sujets et les people qui font le buzz. J'utilise Flipboard pour agréer, sur la même page, ma messagerie, Twitter-Facebook et l'actu. Ça m'évite d'avoir dix mille fenêtres ouvertes. Mon frère m'a offert un pense bête vidéo Viddy d'Intenso. On enregistre son message de 30 secondes sur ce post-it numérique et on le colle sur le frigo. Plus glam que la liste des courses !

D'après ce condensé d'un récit paru dans *Elle*, décris à ton tour une matinée réussie.

QUE L'USAGE INTENSIF DE L'ANGLAIS COMMERCIAL PEUT CONDUIRE À DES EXTRÊMITÉS

Peut-être avez-vous rencontré cette publicité :

I speak english, Wall Street english !

C'est ahurissant. Qui peut avoir envie, parmi tous les anglais, de parler celui de ces types à bretelles ? C'est comme si l'on annonçait à un homme de goût :

Des pâtes, oui, mais des Panzani !

Si on va par là, qui a donné aux Français ce goût bizarre pour les affaires ? Une nation de paysans, de fonctionnaires titulaires et de joueurs de vielle à roue. Où le *bizness* était, du temps de nos anciens, l'occupation des trafiquants, des recéleurs et des patrons de bars louches. Faisant une école d'ingénieurs, ce n'était pas dans l'idée d'entrer dans la banque, et vous étiez à Science Po à l'abri de l'argent. Vous suiviez les cours de grands commis austères, avec des cols de chemise pincés et des chaussettes montantes sur des mollets républicains. Aujourd'hui, à la supérette près de chez moi, les employés s'appellent, dans un esprit corporate, des managers. Jusqu'au président d'honneur du Front national qui ne vitupère plus les allogènes mais donne, nous apprend le *Journal du Dimanche*, « une master class sur l'immigration. »[1]

Puisqu'il est question de commerce, un tableau qui parle :

BALANCE DES ÉCHANGES DE MOTS (Années 2012-2013)	
Anglais importé d'Amérique : 2 857 mots (à vue de nez)	*Français à l'exportation :* un mot (« dégage ! »)

C'est que l'anglais est un talisman. Cette langue a réussi, se dit l'étudiant, or je veux réussir. La superstition appelle le rituel. Il y a de la transe dans l'anglais commercial. À la façon des dieux d'Afrique dans les cérémonies du candomblé, les esprits de la Silicon Valley et de la Harvard Business School franchissent la nuée, se saisissent de l'étudiant, l'étreignent, le chevauchent. Le sujet se roidit. Les yeux blancs, il parle en langues comme les apôtres. Il se sent pénétré, investi. Il se révulse, se convulse, se propulse. Il ne sait plus où il habite.

Prenez la famille F.

---

1. 29 septembre 2012.

Simon F., le père, est dans le consulting. La mère, Denise, est dans le franchising comme souvent les épouses (on ne dit pas « femmes » dans ce milieu). Ils ont poussé leurs enfants aux études de commerce dans des écoles coûteuses aux noms d'éternuements. Comme eux-mêmes jouaient petits à la marchande ou au docteur, c'est maintenant à la preppy, au trader. Le cadet, Édouard, est un geek. Il est à l'ADCHEAC, prononce « triple é » pour « triple A », porte un cashmere avec un e sur les épaules et rêve de créer son entreprise dans un pays libéral où les start-ups démarrent sans manivelle. Joséphine, la cadette, vient d'achever son cursus à l'UTCHEC. Elle connaît son grand jour à l'hôtel Marriott, pour une « cérémonie de remise de diplôme, cocktail et gala, à partir de 85 euros par personne ». J'ai la brochure sous les yeux. On se moque de ces Asiatiques s'épousant pour de rire dans des châteaux français. Que dire de ces jeunes gens normaux, lesquels, à bac + 4, se plient soudain à des usages carnavalesques, enfilant des toges en tissu synthétique et lançant au ciel des bonnets carrés en poussant des hourras ?

À partir de là, Mme F. ne peut s'empêcher de porter une capeline jaune et d'écraser une larme sur sa joue de working mum, et M. F., qui filme la scène, de se dire que, la France étant finie – les impôts, les fonctionnaires –, il verrait bien ses enfants naturalisés aux États-Unis d'Amérique.

Pour l'instant, on est dans la pantomime. Les étapes suivantes dans la liturgie vaudou consisteront à chanter la Marseillaise la main sur le cœur, à se régaler de politiciens confessant leurs fautes à la télévision selon les éléments de langage fournis par un conseiller devenu spin doctor (mot à mot : filandier diplômé). À voter enfin pour un avocat d'affaires, lequel, élu président, ne lâchera plus la main de sa bourgeoise désormais first lady et, par là, s'occupant de charité. Mieux vaut ne pas songer qu'au train où vont les choses, un garçon un peu en marge, qui aimait tant jouer avec sa petite sœur (et une scie égoïne), n'ait l'idée de monter sur le toit du campus avec trois pistolets et deux fusils d'assaut.

À noter cependant que tout ce qui vient d'Amérique ne prend pas.

N'ont jamais marché :

– le grand sac en papier pour porter les commissions (motif : pas pratique) ;

– pour un homme, se lever au restaurant quand une femme se lève de table (motif : peut gêner la digestion) ;

– se lever de nouveau quand elle revient (motif : ça va comme ça) ;

– la femme raccompagnée, faire le tour de la voiture pour lui ouvrir et lui tenir la portière (motif : et puis quoi ?) ;

– le drive in (motif : n'ayant pas été accoutumés à faire l'amour dans la Buick de leur père, les Français se servent surtout des voitures pour circuler – mettant à part le sexe, la restauration, l'hôtellerie et les arts d'agrément) ;

– le football américain. Motif : trop bizarre. En revanche, il est bon de prononcer le mot « superbowl » quand c'en est la saison : « Les tons courgette et aubergine se disputent la partie. Qui remportera le super-bowl ? » (*Elle*).

<u>Ont marché à demi :</u>

– Halloween ;

– le base-ball (motif : nous n'avons importé que les battes – ce qu'on peut regretter).

<u>Ont marché :</u>

– les majorettes. Contrairement à ce que prophétisait Étiemble – que « notre concupiscence » pour ces « gueurles » nous conduise « insidieusement à l'amour du lynchage » (sic) – quoi de plus français qu'un défilé de majorettes aux cuisses bleuies par le froid dans les rues de Saint-Omer ? (Ou d'ailleurs. J'ai choisi une ville du Nord pour caser « les cuisses bleuies par le froid ».)

– l'inversion des mots dans les raisons sociales (Motif : donne un genre américain au business). Exemples : Lagardère Groupe, Maud Fontenoy Fondation, Catherine Barba Group, Montpellier Agglomération. Cette manie est entrée dans l'usage. Plus encore, l'antéposition des épithètes : tonique bombe, créative technologie, positive attitude, lesquels font songer à la « gazeuse eau » d'*Astérix chez les Bretons.*

Lafayette listes, ai-je lu quelque part.

Exercice 10

NIVEAU AGRÉGATION

Investir dans un crop top :

* Quand un singlet est-il cropped ?
* Qu'est-ce d'ailleurs qu'un singlet ?

Traduire dans l'ancienne langue :

* Le denim joue les prom queens.
* Quand on est Pinterest addict, on met de l'arty partout. Voici des cadeaux créatifs et « edgy ».
* The bleach in the city.

Expliquer (y compris à l'auteur) :

* Un look sea punk
* Une start-up generation y-friendly
* Une wag
* Chic'n'twist
* Retraite détox bootcamp new life

ÉPILOGUE

ÉPILOGUE

QU'IL FAUT ÊTRE UN VIEUX CON
DE BONNE HEURE

Je n'ai pas le souvenir d'avoir jamais été ce qu'il est convenu d'appeler un jeune con. À vingt ans, je détestais les voitures. À trente ans, je haïssais les gadgets avec des bulles huileuses et les soirées entre hommes. Dans les années 1980-1990 – alors qu'une nouvelle vague de crétins déferlait sur le pays aux cris de Vive la modernité ! Vive la crise ! Tous au Palace ! –, j'évitai de partager la téquila des night-clubbers en after, en before, et même pendant, sur des chaises en tôle sous des hélices en bois. C'est en vieux con déjà old school que j'assistai ensuite à l'irruption, cette fois un raz de marée, de ces hordes d'abrutis persuadés que le numérique allait libérer le genre humain comme la femme Moulinex. Les « communautés », les « amis », le « partage », tout ce *sympa*. « L'illimité », cet infini à la portée de la classe montante des *bénéficiaires*. La « fidélité » mise en carte. L'amour du « free ». Les minots quittant « l'ordi » sonnés comme des boxeurs. Chacun se débondant sur la Toile, débloquant à pleins tuyaux, dégorgeant ses

« données » à gros bouillons, au bénéfice des flics et des publicitaires. L'ahurissante obsession d'être joignable.

L'invasion du bas-franglais.

Qui aurait imaginé, songeait le con en moi, que le Mur tomberait, que la Rue arabe déboucherait sur les Places, que des dames du plus grand air s'en grilleraient une dans le froid sous les porches comme des putes, qu'il y aurait deux fois en douze ans la fin du monde, et qu'on lirait dans *Elle* des phrases de ce genre :

Les anarchos–fashionistas portent très fort
la no future attitude.

Qui aurait pensé, marmottait-il (le con en moi), que l'apothéose du « progrès », résumé aux applications et aux fonctionnalités, serait l'éternel retour du même, soit, par le moyen d'un pico-projecteur équipant l'i-phone 6, la séance de diapos, ce cauchemar des années 1960 (les sixties) – le consommateur, ce hamster humain, se mordant ainsi la queue par-delà les années dans la grande roue du Temps ? Qui, même Orwell, si on va par là, aurait pu se figurer que des foules dévotes et en larmes iraient se prosterner devant des magasins, offrant des cierges et des bouquets à l'âme envolée de Steve Jobs, pape de l'obsolescence programmée (qui fait que nous marchons tous les jours sur des choses mortes) et célèbre pour ses systèmes d'exploitation, y compris des petits Chinois ? Ah ! Les files d'attente avant l'aube pour la nouvelle tablette. L'ahuri se jetant plié en deux sous le rideau de fer. De le voir filmé de

104

face, pareil à un lièvre ébloui, c'est, pour le con patiné à l'ancienne, à la fois du dernier comique et d'une grande amertume. Car enfin n'est-il pas lui-même guetté par le ridicule de la néomanie à ce moment où l'âge a raison du tempérament et que le vieux con cède au Vieux ? (Une femme qui pourrait être votre seconde femme, c'est-à-dire votre fille, vous donne sa place dans l'autobus. Une placeuse au théâtre vous prévient à l'oreille que c'est deux heures sans entracte.) Est-il question alors de faire son malin, d'éviter le progrès et de se moquer d'autrui ? La vieillesse n'est plus de nos jours un naufrage, mais une croisière dans les îles grecques, avec la participation d'une vedette oubliée du yéyé et une place tirée au sort à la table du capitaine. C'est alors qu'on découvre que tous ces gens teints – ou pour le moins bleutés – ont leur profil sur Facebook, qu'ils bloguent, et twittent, et postent comme des déments, avec un goût marqué pour les blagues pathétiques. (De même que l'homme au volant est plus bête qu'à pied, il est constant que l'internaute est en dessous de lui-même.) En résumé, il n'y a pas plus jeune con que ces ruines, et il est bon de cacher votre vieille connerie de naissance à ces débris qu'il vous faut fréquenter dans les séances à prix réduits, les séjours de demi-saison, les cours de ceci, de cela, et les leçons de self-défense. Allez vous faire le champion dans ces conditions de votre langue maternelle. On vous traitera de rétréci. De qui-ne-comprend-pas-que-le-monde-a-changé-merde.

Pis, on tombera des nues.

C'est cela qui écœure. L'indifférence à ce français mité. Le gavage comme des oies des pauvres bougres, obligés d'avaler tous les matins, cou tendu, une mouture farineuse d'anglais d'aéroport. L'anglo-américain reçu comme l'Esprit Saint par des publicistes, des cadres et des communicants, lesquels soudain, tels des pentecôtistes, parlent en langues sous l'œil sidéré des badauds.

Alors même que des mots disparaissent. C'est-à-dire de la pensée. Oui, des pans entiers du langage arrachés comme du vieux papier peint (wallpaper old school). Ceux-là qui se gargarisent de la bio-diversité se moquent de ce que, pour un seul vocable mis en culture de façon intensive, trash par exemple – mot craché – ce sont mille autres qui s'étiolent : le cru, le sale, le rude, le brut, le brutal, le scandaleux, le dégoûtant, le malpoli, le sordide, l'immonde, le grossier, le merdique, le scato, le franchement limite, le transgressif, l'abominable, le suppurant, le souillé, le crasseux, le malpropre, le fangeux, l'ordurier, le salop, le pouacre, le dégoûtant. Le trash, ce raclement de gorge, ne fait qu'une bouchée également de la pornographie, de la bassesse, de la camelote, du détritus et du mauvais goût. (Ainsi que des cheveux roses – trashy selon *Elle* – du top model Charlotte Free.) Le mot n'appelant qu'une nuance, l'un peu trash, ce sont bientôt des champs immenses de trash qui s'étendent, alternés à des cultures de cool, tel le seigle au colza. Pis : avec le vocabulaire ancien, c'est aussi le goût de créer des variétés nouvelles qui disparaît, celui de fabriquer des mots, ce passe-temps rabelaisien. De les repiquer. De les greffer. L'envie nous passe de jardiner.

S'il y avait au moins, chez nos franglaisants, du plaisir dans le crime. Hélas ! Leur conscience est bonne jusqu'à l'ingénuité. Ce sont des santons, des ravis. Ils écorchent leur propre langue sans émoi, tel un fermier dépouillant le lapin de son dîner.

C'est qu'ils ont des alibis.

Le premier est la Dictée. La Dictée est mise très haut dans ce pays. Très au-dessus de l'Apéritif, pour donner un exemple. (Il existe même chez nous des auteurs à Dictée. Qui semblent n'avoir écrit que pour enrager l'écolier. Dans ma jeunesse, c'était Georges Duhamel – par là un écrivain maudit.) La Dictée, c'est comme le catholicisme. Une fois qu'il est baptisé, le citoyen a le droit de faire n'importe quoi. Il peut s'exprimer comme un cochon, franglaiser, fauter matin et soir, pourvu qu'il fasse la Dictée genre Pivot comme ses Pâques et meure orthographié.

Autre alibi, le Terminologue. Des terminologues se réunissent régulièrement en commission depuis l'ordonnance de Villers-Cotterêts (1539) pour transposer les mots venus d'ailleurs en « langage maternel françois ». Selon la rumeur, ce sont des braves gens qui suivent *Des Chiffres et des Lettres* à la télévision et portent des visières en carton. Au moment qu'est vidé sur la table le dernier sac de mots venus d'Amérique, (souvent, quand il s'agit des nouvelles technologies, inventés dans la nuit), le terminologue éprouve à la fois la grandeur de sa tâche et l'excitation baroque du joueur de Scrabble. Moins peut-être que celle de son confrère du Québec, ou encore du Vatican (lequel traduit en latin d'église des expressions comme break-dance ou cheeseburger), l'activité du terminologue français est une source d'hilarité pour l'internaute, dont la mentalité de bidasse est connue. Par ses trouvailles souvent burlesques, c'est peu dire que le terminologue encourage le vice, le désordre et le laisser-aller dans la population générale. Le vieux con de naissance lui-même, sceptique par définition et moqueur au naturel, ne peut, confronté à des trouvailles du genre de *manche à balai* pour *joystick*, que se rouler par terre en hurlant de rire.

(Ce petit ouvrage étant placé sous le sceau de la plus grande rigueur intellectuelle, on est obligé de convenir que le jargon de la Toile, non seulement n'est pas le plus outré – c'est oublier les « féminins » – mais qu'il a ranimé des mots anciens tels que « bannière », « onglet », « hébergeur ».)

Par un curieux paradoxe, le plus grand alibi de l'anglais est peut-être l'anglais lui-même. La dictée incite à la transgression, la néologie au fou rire, mais à la sidération la langue anglaise. Voyagez dans un pays anglo-saxon, vous serez soufflé de voir que des minots hauts comme trois pommes s'expriment dix fois mieux que vous, et à quelle vitesse, dans ce dialecte impossible. Persuadé que l'anglais est la langue la plus utile au monde, ce qui est vrai, et la plus répandue, ce qui est faux, le Français est malheureux parce qu'il le parle comme un cochon, à part Julie Delpy. Il est toujours, en Europe, dans les derniers de la classe. C'est comme de naissance chez lui, de la même façon qu'il digère mal le lait, en dépit de la présence dans son pays de nombreuses vaches. (Les peuples « bons en anglais », Britanniques, Américains, Scandinaves, boivent du lait en quantités phénoménales. J'ignore à quoi cela est dû, mais cela fait réfléchir.)

Incapable de posséder la langue de Shakespeare – en particulier, de la prononcer – mais désireux de ne pas passer pour un plouc, de *réussir à l'international,* que fait le Français ? Il simule. Voyez-le, quand le conférencier est anglo-saxon et dit une blague, selon l'usage de ces gens-là. Vous aurez toujours quelqu'un, en général Julie Delpy, qui rit au bon moment – et vingt personnes qui l'imitent, ah ah ah, pour avoir l'air d'avoir compris. (« Eh eh eh », s'ils devinent que la blague est subtile.) C'est de la même façon, par vergogne, que le Français fait semblant de savoir déchiffrer le nouveau créole dans les magazines. Qu'il se retient de lacérer les affiches au titre non traduit des films américains. Non plus qu'il n'abomine les publicitaires, pourtant persuadé qu'il faut avoir tué père et mère pour exercer ce métier-là. Et c'est ainsi que sa vie passe. Dans l'imposture et le faux-semblant. Puis vient le moment qu'il devient président de la République et, qu'un beau jour, c'est fatal, les médias le surprennent à tenter de parler l'anglais. À cet instant, la vérité éclate. Son bredouillis. Sa voix traînante. Sa prononciation abominable. Ses *ze problem* désopilants. Cela aussitôt repris par le *Petit journal* de Canal + et en boucle sur la Toile. Nous autres alors de ricaner, lâchement heureux qu'un de nous, mais pas nous, se fasse prendre : plus le singe monte haut, dit le proverbe zorzove, plus on voit son derrière.

Ainsi se perpétue le grand simulacre et s'installe dans les mœurs ce qu'on pourrait appeler un anglais de zone piétonne. Qui est à la langue, comme on dit, « de Shakespeare » ce qu'est le Kinder-Surprise à l'œuf de Fabergé. De même que la zone de chalandise impose jusque chez les Inuits ses petits pavés de porphyre, ses franchisés, son luminaire, le « jargon global du marché de masse » (George Steiner), le « babélien universel » (Étiemble) étend partout ses prises.

Qu'une langue soit incapable de transcrire autrement qu'en termes à pouffer de rire les parlers spécialisés, en cela déjà ce n'est plus qu'un idiome. Qu'elle renonce avec cela aux mots de tous les jours, ce n'est plus qu'un caquet.

Alors, bien sûr, il faut apprendre la « langue de Shakespeare », celle de Dante, de Goethe, de Cervantes, de Fu-man-chu. Mais *à côté*. Par surcroît. Cette langue d'entre deux portes qu'on parle *en même temps* que la sienne, revient à ne plus savoir où on habite.[1]

Suggestion d'un vieux con recuit, mais bienveillant aux « féminins » : vous proclamez une fois l'an qu'être ronde (pas grosse : ronde) est formidable et que tous les régimes sont idiots. Pourquoi pas, dans ces conditions, un numéro (un one shot) qui serait écrit, pour changer, dans le bon vieux dialecte ? Une journée de la

---

1. Les langues sont par nature intraduisibles, et « c'est parce qu'on ne dit jamais tout à fait la même chose dans une langue ou dans une autre que le bilinguisme est une chance. » (Barbara Cassin)

jupe, en quelque sorte, qu'importe que les jeunes cons ricanent. Cela serait mignon, un peu désuet comme un abat-jour à volants, mais tellement éloigné du ridicule de ces bourgeoises gentilles dames, qu'aurait dénoncé, j'en fais le pari, dans « la langue de Molière », l'écrivain éponyme.

UN PEU DE VOCABULAIRE

ADDICT

Qui débute en franglais, on lui conseillera de dire qu'il est addict et ainsi de passer pour normal. Être addict ne mange pas de pain, surtout si vous l'êtes *complètement.* On est addict au crack, mais complètement addict aux Louboutin.

Ce n'est qu'un exemple. On est addict au mojito, aux Puces, à l'héroïne, au sexe, au vernis à ongles. La Corse a ses addicts, mais aussi Murakami. Ainsi que les chats abyssins, les thés fumés, le tir à l'arbalète. Qu'est-ce que la France d'aujourd'hui, sinon un vaste hôpital où les maniaques se mêlent aux branques et les timbrés aux convulsionnaires ? Addict à n'importe quoi, on peut également l'être à rien et même à moins que rien. Connaître l'extase à manger sans gluten. Courir la ville à point d'heure pour trouver du gluten free. On voit par là qu'on peut être addict au manque.

Ou encore à la méditation. J'ai lu dans le journal qu'il y a des « médit' addicts ». Ils regardent une courgette durant des heures en vapotant.

Qu'ils se décident à manger la courgette, la faisant passer avec une infusion d'aubergine, c'est green addicts qu'ils seront. On peut, en effet, aller d'addiction en addiction. Être addict à l'addiction en quelque sorte, ce qui est une belle définition de la hype, et de certaines pathologies mentales.

On recommandera en résumé aux personnes de complexion nerveuse et sujettes à l'échauffement de se tenir à l'abri des modes. Mieux : à l'écart de tout. S'il vous arrivait d'être *en même temps* bio, déco, conso et basket addict, et que, sans cesser d'arranger vos cheveux de façon compulsive (hair addict) et de boire du lait au pis (milk addict), vous ne pouviez vous empêcher de courir à tout instant en Russie (tel le couturier Jitrois, selon *Madame Figaro* un « Moskva addict »), le mieux serait peut-être par charité de vous piquer.

Par bonheur, il est rare qu'on s'adonne à tout à la fois, et fréquent que le mal soit bénin. Un addict aux livres est en général un homme qui lit. Il suffit de le mettre en bibliothèque, cette salle de shoot où l'on échange des ouvrages comme des seringues. De la même façon, ces basket addicts dont il est question dans *Elle*, non seulement ne s'envoient pas toutes les variétés du chausson de sport (« montante, vintage ou runner, quelle basket addict êtes-vous ? »), mais il est peu signalé qu'elles inhalent leurs pompes à pleins poumons. À son habitude, le bas-franglais dévitalise tous les mots qu'il remplace. Ici : accoutumance, obsession, manie, dépendance, etc. Imaginez le fils d'un « addict au biopic musical » (*Elle*), ce que ce serait pour lui de voir son père se tordre sur le tapis dans l'impatience d'un film enfin sur Amy Winehouse. Il irait se réfugier dans les bras de sa maman, laquelle serait sous l'emprise hélas ! d'une « patchwork addiction ». Ce qui, dans l'acception de *Madame Figaro*, consiste à tripoter un sac fait de morceaux de peau de chèvre et de serpent d'eau. Que resterait-il au gamin, sinon de se réfugier dans des jeux en ligne dits addictifs où il prendrait le goût du sang ? À Dieu ne plaise alors que son biopiqué de père ne soit également addict aux armes à feu et les garde chargées chez lui.

On observe que beaucoup de ces femmes sujettes à l'addiction se serrent les coudes à l'image des alcooliques anonymes ou des pédophiles évangéliques. Ce sont des istas. Il y a des istas comme il y a des énarques. Artystas, beautystas, impressionistas (sic) ont remplacé les istes. On rencontre cependant des designistas spiritualistes, des shoeistas bouddhistes. Une simple foodista est une femme qui se nourrit.

Les addictifs ont souvent des fins de mois difficiles et ce n'est pas très beau à voir, une soldista.

BOOSTER

Le pays qui a inventé le mol oreiller aime ce mot pour le oust qui est au saut du lit ce que le go est au saut en parachute.

To boost, selon le *Harrap's,* signifie « soulever (quelqu'un) par derrière ». « Pousser par derrière pour faire monter », précise le *Robert.* Prenant quelqu'un, disons un adolescent, par le fond du pantalon afin qu'il aille ranger sa chambre à l'étage, vous le boostez. De même si vous faites la course à l'échalote à une dame. Ce ne sont que des exemples. Aujourd'hui tout booste, tout est boosté. On pratique « une gymnastique qui booste » et on peut fort bien booster sa carrière en même temps que l'éclat de sa peau : « Comment booster ma crème anti-âge », ai-je lu quelque part. C'est dire l'état d'une nation où même les crèmes sont apathiques. Tel smoothy, ai-je lu également, est un « booster de vitamine C ». Substance dont, par ailleurs, les vertus boostatives ne sont plus à démontrer.

En résumé, boosté à tout moment et boostant à toute fin, c'est comme un engrenage, une boostation perpétuelle, la roue dans la cage du hamster. Les générations futures retiendront du franglaisant que, boosté avec délice par tous les bouts, il boostait lui-même avec entrain dans tous les cas de figure.

Ce « maquillage booster de self-estime » surpris dans *Elle* : quand même autre chose que la bébête « estime de soi ».

BOX

L'anglais est la langue des métamorphoses. Le cowboy, fût-il un psychopathe, est supérieur au vacher, et la box préférable à la boîte. Quand une machine est mise au point qui permet de garder les poumons à greffer au frais plus longtemps qu'en glacière, c'est la box que l'appellent les chirurgiens. Allez dans n'importe quel logis soucieux du connecté, vous verrez que la box – et peu importe de quoi il s'agit – y est parée d'un prestige au moins égal à celui de ces aspirateurs sans sac ni cordon ni tuyau et bientôt sans poussière. Il n'y a rien de plus commode, disent les gens, ni de plus nécessaire.

La box est d'abord un objet rassurant, comme souvent les parallélépipèdes, et en même temps énigmatique. Elle évite la complication, mais installe le mystère. Allez savoir ce qu'il y a dedans, disait déjà Pandore du temps des boîtes. Qu'il s'agit aujourd'hui de dépasser, ce qui n'est pas rien, tout – nous-mêmes – finissant dans une boîte. (Cela fait des lustres et commence à bien faire que les boîtes à chaussures servent à conserver, oublier, retrouver des lettres d'amour en liasse au-dessus d'une armoire.)

À la fin des fins, était-ce une si bonne chose que la boîte ? Était-ce même *sympathique* ? Il n'y a jamais de gants dans les boîtes à gants et toujours un faux fond aux boîtes de chocolat. Les boîtes à lettres nous inondent de réclame. Les boîtes vocales sont un moyen de nous déranger même absents de la maison. Et quoi de plus crispant qu'une boîte à musique (on n'en voit plus d'ailleurs que dans les films) ? Et de plus navrant qu'une boîte noire annonçant aux familles, sur le ton d'un dialogue de boulevard, que les pilotes étaient ivres ?

D'où la box.

La première trouvaille fut de remplacer les gamelles par des lunch boxes (s'ensuivirent que les plats en sauce furent changés pour des pommes et les travailleuses métamorphosées en working girls). La deuxième fut d'inventer une box vendue par abonnement sur la Toile, aussi différente que possible de la box *high tech*, en ceci qu'elle est en carton et non en je-ne-sais-quoi – et garnie de surprises. Détox box, New York box, Mom box, Red carpet box (soit « cinq sets de tatouages éphémères et kawaï dans un packaging arty ») : alors que la boîte est au fond du trou, la box est par la magie de l'anglais devenue un must have, peut-être un collector. La grande idée, au moment que j'écris, est de divulguer d'avance son contenu. Les surprises n'auront plus ce défaut qui est qu'on ignore ce qu'elles sont.

COACH

M. Jourdain avait des coaches sans le savoir. Ce sont les premiers qui ont laissé une trace. Il n'y eut plus ensuite que des répétiteurs tabagiques et des moniteurs de gymnastique. (Ceux-là arboraient des pantalons à patte et des moustaches encaustiquées. Leurs spécialités, dans les fêtes votives et les occasions républicaines, étaient les anneaux et le cheval d'arçon.) Mais, après que la crise fut là, toutes espèces de gens qui manquaient de débouchés se raccrochèrent à toutes espèces de gens qui manquaient d'exercice. Ainsi proliféra, sur une idée de Molière, cette nouvelle mouche du coche, le coach. L'idée très américaine qu'il n'y a pas de wellness sans fitness, ni de spiritualité sans gourou, et qu'il faut se mettre à plusieurs pour assurer son développement personnel, étendit à tout la notion de mentor. Décorateur, orthophoniste, masseur, jardinier, actrice du porno, maquilleuse, nutritionniste ou peintre en aquarelle, sans parler des sans emploi sans diplôme, c'est à qui sera coach. Tous ont leur spécialité, comme les Schtroumpfs. Le *coach d'addicts en rehab* (sic) vous empêche de replonger. Le *coach en sobriété* (resic) gagne son pain à cacher les bouteilles. Ce sont souvent des stars qu'ils coachent, ce qui en fait des stars du coaching recherchées par les stars. Les valets sont les maîtres.

Il ressort de tout cela qu'à n'être plus servi, le bourgeois gentilhomme n'est plus qu'un empoté. On tombe désormais incompétent comme on tombe en enfance. Vous marchiez d'un pas alerte, il vous faut des béquilles. Vous ne pensiez à rien, on vous apprend à méditer. Le coaching est une forme d'hypnose. Avec cela, ces gens se glissent partout, comme le sable dans les draps en vacances à la mer. Ayant découvert qu'il existe des *coaches en rangement*, j'ai mis un verrou à ma porte. La notion de désordre nécessaire est étrangère au coach. Il doit laisser sa trace pour justifier sa paie.

Mon préféré est le *personal shopper*. « Établissant votre dressing en fonction de vos envies mode », il vous suit dans les magasins ou bien vous « livre ses looks en photo par e-mail ». Formé qu'il est désormais à la prose, M. Jourdain doit se mettre à l'anglais.

FOOD

Les food trucks sont entrés dans Paris et l'incroyable le dispute au prodige. Les hamburgers ne font plus honte aux honnêtes gens. Le cheese-cake a eu raison de la crème brûlée qui semblait irrévocable, et on peut enfin manger des sandwiches au homard. Bref, on peut faire son New-Yorkais rue Mouffetard et SoPi vaut bien TriBeCa.[1]

Ces gens qui font la queue dans le froid devant les bars à soupe. On ne sait plus s'ils font la queue dans le froid pour manger une bonne soupe ou pour se réchauffer d'avoir fait la queue dans le froid en mangeant une bonne soupe. Nous sommes ici dans le sacré. Ne parle-t-on pas d'*adeptes* du fooding comme d'une religion, et qui serait universaliste sous le nom de fusion food ? Ne parle-t-on pas de food gourous ?

Comme tous les dévots, les sectateurs du fooding ont d'étranges comportements. Sitôt que le temps se réchauffe, qu'ils ont moins envie de soupe, ils organisent des pique-niques, mais en ville (street picnics). Le déjeuner sur l'herbe à la campagne est parfaitement

---

1. SoPi : South Pigalle (sic).
   TriBeCa : Triangle Below Canal Street.

démodé. Sans parler de la campagne. Serait-il possible à la campagne, même en rêve, d'ouvrir bentos et lunch boxes et de déguster le zaatar, la purée d'hélianthis, le chou pak choï et la panacotta aux fraises Tagada ? Intra-muros en revanche, le fooding est partout. Jusque dans les librairies huppées, les magasins de prêt-à-porter, les musées dotés d'un open space. Il s'agit en somme d'éviter le restaurant. On y apporte son anglais comme ailleurs son casse-croûte. Quand, assise à une table parmi les porte-manteaux, une fashionista s'envoie dans la gargoulette une Caesar (avec un a) salad (sans e), un chili veggie ou une plâtrée de nouilles udon, elle devient aussitôt une foodista, section fashion food. C'est un monde où les traiteurs à l'ancienne ont laissé place au catering le plus hype et la vente à emporter aux take away les plus pointus.

Au-dessus des catégories habituelles de la renommée que sont le succès, la réussite, la victoire, le triomphe, le couronnement et l'apogée, il y a aujourd'hui ce bâton de maréchal : la Génération. Le fooding en est là, à cette apothéose : « Génération fooding ».

Qu'est-ce qu'une Génération ? Des trentenaires sympas. Vous reconnaîtrez les grands noms du fooding à ce qu'ils ne ressemblent pas à des chefs à toque, mais à des milliardaires de la Génération 3.0 – des barbes légères, comme un maquillage à la suie, des tatouages arty et des chaussons de sport sans lacets. Leur engagement géné-rationnel est de renouveler la tradition, c'est-à-dire de *booster les basiques*. Nous sommes en présence d'anti-stars, c'est-à-dire de cuisiniers qui hantent les plateaux, mais ne se prennent pas au sérieux. Ils louent des restaurants aussi petits que possible, suppriment, quel qu'en soit le nombre, la moitié des tables et attendent le client. Après deux articles et trois plateaux, c'est le client qui attend. Il piétinait deux heures au bar à soupe, ici c'est deux mois. On ne sait plus s'il attend depuis deux mois de pouvoir manger ou s'il mange parce qu'il est à jeun depuis deux mois.

Hélas ! Il ne faut pas traîner : il y a deux services.

Le drame du fooding, c'est que c'est bon. C'est inventif et juste et sain, ce qui se dit healthy, et c'est d'une certaine façon puritain. Jusqu'ici le Français mangeait mal sur une nappe basque et buvait, tiré d'un pichet en grès avec des coulures imitant la bougie, le vin du patron, mais au moins il traînait à table. Aujourd'hui, c'est le temps de ce que le sociologue Jean-Pierre Poulain appelle *gustronomie*[1] : « Un phénomène de réduction de l'expérience alimentaire à sa dimension gustative. Or, l'expérience gastronomique, c'est beaucoup plus que le goût. C'est aussi l'échange, la convivialité, le plaisir et elle se prolonge des heures durant après le repas ».

Le fooding est une enfance. Le fooder a le droit de jouer avec la nourriture (entertainment), mais plus de s'amuser autour (gueuleton). « Avant, je mangeais n'importe quoi, disait Groucho Marx. Maintenant, je ne mange plus que de la nourriture. » On mange désormais de la nourriture qui est du n'importe quoi, n'importe quand, n'importe comment, n'importe où, et on mange de tout. Des insectes à cause des protéines. De

1. *Libération,* 4-5 mai 2013.

l'air, par compassion pour les famines (*Air Food Project*).
Naguère, c'est à des banquets par petites tables qu'on
luttait contre la faim dans le monde en contentant son
appétit.

À se désheurer et grignoter de la sorte, on peut redou-
ter qu'au lieu de se contenter de mourir comme les
anciens mangeurs, le fooder et la foodista ne prennent
de l'embonpoint. C'est un grand paradoxe.

FRENCH

Nous vivons des temps baroques où le Français ne peut plus se regarder dans la glace sans se voir en peinture. Je veux dire par là qu'il se voit, mais du dehors. Magnifié par l'anglais. « À la française » devient alors « the french touch » :

Elle nous livre sa philosophie du style infusé de french touch.

Ou encore :

La rencontre de la french touch et de l'American beauty.[1]

Au contraire de cet « Air de Paris » enfermé dans des boîtes de conserve qui en réalité nous vient, soufflé par des petits Chinois, de Taïwan, il n'y a rien de moins recherché par les touristes que le Français. Les étrangers le trouvent désagréable, gâchant le pays. Les Français, de leur côté, jugent le Français tellement banal, avec son tiercé et ses fauteuils crapaud, qu'ils ne l'apprécient que frenchy, c'est-à-dire retouché et colorié par des types du genre de Vincente Minelli ou de Woody Allen.

Ainsi le Parisien n'est-il plus aimable qu'en anglais. Quand il n'est plus « tellement » mais « so » : *Un couturier*

---

1. Il s'agit de la réunion dans les pages de *Madame Figaro* du réalisateur Cédric Klapish et d'Amanda Seyfried, « égérie Givenchy ». Rappelons que l'égérisme est la façon élégante qu'a la fashion de corrompre les médias.

so parisian (*Elle*, 22 mars 2013). Par un jeu de billard à trois bandes, c'est le regard de qui nous admirons (un New-Yorkais) qui nous rend à nos yeux admirables. De même que le ketchup est la seule façon de faire avaler aux enfants des brocolis, c'est quand c'est frenchy qu'on achètera français :

> *On clique vite sur ces web concept stores proposant des griffes frenchy.*

Voici Greg Marchand, cuisinier français formé à Londres par Jamie Oliver. Celui-ci, qui a de l'invention, le pare du sobriquet de Frenchie. Quand Marchand ouvre un restaurant à Paris, c'est donc *Le Frenchie* qu'il l'appelle, et, publiant un livre de recettes, c'est *La cuisine du Frenchie at home* qu'il le nomme. Si grande est la magie du franglais qu'il porte l'exotisme à son comble : un exotisme de l'intérieur. Comme si, dans le *Sceptre d'Ottokar,* le restaurant syldave vous servait des plats belges.

LIST

Quand le Français n'alla plus seulement le dimanche à Orly, qu'il prit l'avion pour de vrai, une bouffée d'anglais d'aéroport lui sauta au visage. Il aspira ces mots à pleins poumons. Duty free, check in, fasten your seatbelt, refrain from smoking. Il était sur un nuage. Mieux, il était au-dessus.

Check-list l'impressionna énormément, pour ce que cela a de moderne, d'apaisant et de transatlantique. Un commandant de bord, c'est non seulement un bel uniforme, mais quelqu'un qui, ayant fait sa check-list, vous souhaite la bienvenue d'une voix si calme et si tranquille. Nous qui n'avions que des listes de commissions, nous prîmes à faire sauter le *e* des listes un plaisir égal à celui de déboucher du champagne : Shopping list. Wedding list. Guest list. Playlist. It list. L'anglais s'imposa, et pour liste et pour l'objet listé. Il en va ainsi du bas-franglais : un substantif perdu, ce sont souvent deux mots d'anglais qui s'installent. À ce train, non seulement un jour nous parlerons anglais première langue, mais deux fois plus que les Anglo-Saxons. Quelque chose comme un anglais qui *déborde*.

Ce qui donne le vertige.

Par chance, il existe de nombreuses exceptions où l'anglais tolère encore le français. Exemples : les si élégants debrief boulot, idées no stress ou beauty reflexe.

Reste également *la* liste. La liste avec un *e*. La liste sans rien, brute. Comme « avoir son nom sur la liste ». Ce qui n'est pas toujours rassurant. D'où une tendance à lui préférer le listing. Est-il question, ayant « son nom sur le listing », qu'on vous conduise à l'échafaud ?

Cet usage – les *ing* – par ailleurs se répand. Quoi de plus consternant qu'un « bon timing » au lieu d'un « bon moment » ? « Une offre alléchante, oui, nous explique une ministrable, mais j'allais accoucher, ce n'était pas le bon timing. »

LIVE

Il vaut mieux être en live qu'en vie. La télévision nous le rappelle tous les jours. Être en vie est donné à n'importe qui, être en live vous met au rang des apparitions. C'est en live que Jésus se montre à saint Thomas et que le rappeur Z6Z se manifeste à l'animateur de Canal +.

Saint Thomas est le patron des incrédules, donc de nous tous, qui vivons au temps du virtuel sur nos écrans, des clones dans nos prés, des effets spéciaux, des images de synthèse, du playback, du faux direct et du faux fond des boîtes de chocolat. Tandis que ces violateurs de sépulture, les publicitaires, afin qu'ils nous vantent des nouilles ou des automobiles, n'hésitent pas à ressusciter Fernandel ou Hitchcock.

Qu'y a-t-il de plus abject ? Laissez en paix ces pauvres morts !

Nous-mêmes sommes devenus évanescents, toujours à nous joindre sans nous unir, au point que les geeks (sortes de maniaques) caressent l'idée de se rencontrer, disent-ils, en IRL.

In Real Life.

En quoi le théâtre, cette vieille lune, est-il immortel ? Il nous permet enfin de voir quelqu'un.

En résumé, le réel est si précieux que cela vaut bien de l'anglais. Cela vaut bien du live. Et même du direct live, comme l'annonçait un jour Canal +. Le direct live, si les mots ont un sens, cela veut dire que les artistes, non seulement seront là pour de bon, mais en chair et en os. Qu'on allait voir exactement ce qu'on allait voir. Que « l'épreuve du direct » serait une ordalie.

Devenu si miraculeux, le réel, que sur les chaînes d'information en continu, quand apparaît le mot « direct », ne fût-ce que pour nous montrer un pauvre bougre censé savoir et nous rapporter ce qu'on pense au Château par le simple fait de piétiner sous la pluie sur le trottoir d'en face, c'est comme si l'écran se remplissait de chair palpitante et offerte.

Observons l'animateur, pour en rester à la télévision, lequel, sidéré (il est de Châteauroux comme nous tous), nous prépare à l'idée que Z6Z sera là bientôt, *en live* (plutôt que sous l'apparence d'un androïde ou d'un ectoplasme). Le public servile a ses yeux de zombie qui s'animent. Passé un moment de stupeur, ce sont des hurlements qu'il pousse et qui, mécaniques, semblent enregistrés comme des rires. Divine épiphanie : il est là, voici Z (comme l'appellent ses intimes). Aussi retranché qu'il soit sous ses tattoos et sa casquette de base-ball, derrière ses épaisses lunettes noires, parmi ses boucles d'oreilles et une chaîne de vélo en or scintillant à son cou, l'artiste issu du gansta rap manifeste sa présence réelle par divers grognements, halètements, mimiques, remuement des oreilles, témoignant par cette pantomime, sans qu'il soit nécessaire à l'animateur de lui prendre le pouls, de vérifier la chaleur de sa peau, de glisser avec tact un miroir de poche sous ses narines larges, qu'il est bien *en live.* Dans l'hic et nunc. Patent. Irréfutable.

Live est un de ces mots d'anglais qui nous rappellent que le français, quand il est dit, n'est plus cru.

MIX

Les langues anciennes ayant tendance à faire des grumeaux, le mix s'est imposé comme un appareil multifonction, allégeant le français de nuances aussi gênantes sous la dent que : mélange, union, alliage, combinaison, association, amalgame, assemblage, mêlement, fusion, assortiment, panachage, mixtion, entrelacs, appariement, accouplage, coexistence, bigarrure, enchevêtrement, liaison, fouillis, méli-mélo et pêle-mêle. On mixe aussi bien des légumes avec son Moulinex qu'un certain M. Persouyre « les bouquins avec ses autres passions » (*Madame Figaro*). « Le mix n'match d'un print animaux et de rayures flashy », en même temps qu'il signale une aversion légitime pour le total look, répond à l'idée sympa du métissage. « Mixer le cheap & chic », enfin, c'est aussi échapper aux distinctions sociales. (Ce foutu goût bourgeois.)

On mixe aussi les mots. Ce qui donne par exemple : métrosexuel. Il s'agit de réduire la langue à l'état de porridge : les langues sont tellement du coin (local) ; la bouillie est universelle.

MOM (variante MUM)

Si la working mom a remplacé la mère qui travaille dans la presse féminine, c'est à cause de Sarah je-ne-suis-pas-une-poule-mouillée Palin, la célèbre humaniste.

L'affaire remonte à l'élection américaine de 2008, le jour que la vice-présidente choisie par le candidat Mc Cain et voulant montrer que ses enfants pouvaient compter sur elle, non seulement pour les aider à dépecer le caribou, mais s'associer à leurs loisirs, déclara :

« I'm just a hockey mom. »

Signifiant par là :

« Vous élisez des politiciens, des avocats, des militaires, des gens d'affaire : avez-vous essayé la Mère ? »

Ou encore :

« Une ménagère organisée peut très bien donner le sein et de l'autre main déchaîner le feu nucléaire sur Moscou. »

En dépit de leurs divergences avec Sarah (touchant à la création du monde, à l'IVG et à la place des fusils d'assaut dans les activités périscolaires), ce fut une explosion dans nos « féminins ». La momerie emporta tout. La mère célib' (mère célibataire en français long) céda le pas à la single mom, et à la mom to be, la future mère. Arrangeant des bouquets, vous êtes une arty mom, et une suburban mom, habitant à Villepinte.

C'est cependant la working mom le must, avec la working girl. Le cœur se soulève à l'évocation de mots rancis tels que mères qui travaillent, salariées, employées – on n'est pas dans Zola – et il revient au bas-franglais d'éradiquer, avec leurs mots, les classes laborieuses, qui sont à périr d'ennui (sans parler des odeurs), au profit des *tribus urbaines* : là sont les consommateurs, c'est donc là qu'est l'anglais.

Voici encore le mummy porn et la fashion mummy. Ou, gérant une e-boutique, l'indicible mompreneur. Ce qui a disparu en revanche, créature modeste aux allures de petite souris et faisant ses 2,01 enfants comme une conne : la maman. Préférer, à ce rêve de Pétain, sinon la mom, à défaut la mamma, comme on dit la pasta, par genre italien. Ou cette créature hystérisée : la perfect mother. Sans oublier l'ineffable MILF, Mother I'd Like to Fuck – en gros Sarah.

NUDE

Nude, c'est nu et autre chose.

Mais quoi ?

Nous touchons là à des mystères si vastes qu'ils font hésiter la plume la mieux trempée. Comment le nu, le premier des états, se change-t-il, franglisé, en l'apprêt le plus subtil ? Au terme de mon enquête, je peux le dire aux hommes : la femme qui travaille (working girl) n'a pas deux journées en une, mais trois, avec le maquillage (make up). Les conseils ésotériques des experts les plus cotés (make up artists) évoquent des traités d'alchimie, et ces filles qui se maquillent (toutes) sont de foutues techniciennes de surface.

Que veut dire, première énigme, Laetitia Casta lorsqu'elle parle (dans *Elle*) d'une « belle peau nude » ? Est-ce là le zéro make up, selon une expression en vogue, ou le résultat d'un labeur opiniâtre ? J'inclinais à la première hypothèse, puis tombai sur l'évocation (dans *Madame Figaro*) d'un « rouge à lèvres nude, transparent, au reflet bouche mordue ».

Ah.

Ce « bouche mordue » m'a sonné pour le compte.

1 – De quoi s'agit-il ?

2 – La bouche mordue est-elle accessoire ou consubs-tantielle au nude, tant il est vrai qu'une femme, non point nude mais nue, peut être mordue ou mordable, mais aussi, sans préjudice, se passer de morsure ?

D'apprendre qu'il s'agissait en l'espèce du Rouge Interdit 62 Liv's Lips de Givenchy ne m'avança en rien. Puis *Glamour* me ramena sur Terre. « Red on nude, écrit *Glamour*, comprenez : rouge sur peau nue ». C'est-à-dire « des lèvres qui irradient sur ton neutre ».

Voilà un passage essentiel. Premièrement, il est très rare qu'un « féminin » explique en français quoi que ce soit de son patois. Deuxièmement, il semble qu'ici le « neutre » ne soit pas un « zéro make up » mais un « ton ». C'est-à-dire un rien qui ne serait pas rien et réclamerait, j'imagine, des soins opiniâtres. De la même façon que les sourcils wild sont loin d'être en friche.

Bref.

Ces choses sont bien délicates, méditai-je, et c'est un homme plus circonspect qui tomba ensuite (dans *Jalouse*) sur l'important témoignage d'une certaine Victoire de Taillac Touhami.

« Depuis mon expérience new-yorkaise (déclare à *Jalouse* Mme de Taillac Touhami), j'aime avoir des ongles vernis Ushu et HIPP+RGB, le spécialiste des [c'est moi qui souligne] *vernis nude.* »

Ah.

Voilà, pensai-je : la transparence ! Le nude est trans-parent, mais en même temps se donne pour ce qu'il est : un artefact. Un *vernis*. Au contraire du nu qui est un état.

C'est alors que je tombai (dans *Fémina*) sur un échantillon de BB Cream Nude magique, et décidai, à l'imitation des grands expérimentateurs de la science médicale, de l'essayer sur moi. J'en ressentis, comment dire, du frais, du lisse. Même – allons-y – un certain *effet nude,* en dépit d'une joue mangée de barbe. Ou bien était-ce un *effet seconde peau* ? J'eus alors une envie fugitive de passer femme, puis le désir fébrile (l'appel du chercheur en moi) d'essayer, après la BB, la CC (à l'origine, ai-je lu, du *new nude,* et peu importe de quoi il s'agit), la DD, la EE, la FF et d'ainsi me tartiner le foutu alphabet.

À ce moment précis où le dossier semblait clos, je tombai sur une publicité pour *un top en cuir nude.*

Ah.

Ainsi le nude n'est pas seulement de la peau. C'est du cuir. Que dis-je. C'est aussi du tissu : *Madame Figaro* nous parle d'une « dentelle nude ». En l'espèce, « une dentelle chair qui révèle le corps ». Nude sur nu, en somme.

À cet instant de ma réflexion se situe la plaisante anecdote dite du no bag nude. « Et voici le NO BAG NUDE, me poste l'autre jour une certaine Lola Freyermuth, étudiante, qui s'adapte à tous les looks. Très BCBG, ce sac non imprimé fait son effet depuis quelque temps dans la capitale. » Une photographie jointe montrait deux touristes agitant le genre de pochettes blanches où ces créatures ont coutume d'emporter leurs encas. En fait, je connaissais l'existence du « no bag » depuis cet écho dans *Elle* montrant, à la main de Joyce

Jonathan, chanteuse, une pochette de la FNAC. Mais j'ignorais celle du no bag *nude*. Allons, me dis-je, le nude gagne, le nude s'étend, c'est toujours pareil avec le franglais : aguicheur, facile, bientôt dénué de sens. J'allais ainsi, morose, quand je tombai, dans *Elle* je crois, sur une photographie de Géraldine Maillet. Écrivain, ex-modèle, cinéaste, chroniqueuse, icône de ceci ou cela, Mme Maillet est également un luminaire. C'est une femme translucide, veux-je dire : vous pourriez l'aménager en lampe de chevet et lire à la lumière de sa peau. « Voilà le nude ! » m'écriai-je, faisant se retourner des passants (d'autres au contraire pressant le pas). Le bas-franglais, ce dialecte béat et veule et paresseux, dont l'ambition se borne en général au non-traduit, sait s'élever parfois au ressenti.